CHICO MENDES
CRIME E CASTIGO

Coleção Jornalismo Literário — Coordenação de Matinas Suzuki Jr.

41 inícios falsos, Janet Malcolm
A sangue frio, Truman Capote
Anatomia de um julgamento, Janet Malcolm
A árvore de Gernika, G. L. Steer
Berlim, Joseph Roth
Chico Mendes: Crime e castigo, Zuenir Ventura
Dentro da floresta, David Remnick
Elogiemos os homens ilustres, James Rufus Agee e Walker Evans
Esqueleto na lagoa verde, Antonio Callado
Fama e anonimato, Gay Talese
A feijoada que derrubou o governo, Joel Silveira
Filme, Lillian Ross
Hiroshima, John Hersey
Honra teu pai, Gay Talese
O imperador, Ryszard Kapuściński
O livro das vidas, org. Matinas Suzuki Jr.
O livro dos insultos de H. L. Mencken, seleção, tradução e posfácio de Ruy Castro
A milésima segunda noite da avenida Paulista, Joel Silveira
Na pior em Paris e Londres, George Orwell
Operação Massacre, Rodolfo Walsh
Paralelo 10, Eliza Griswold
Radical Chique e o Novo Jornalismo, Tom Wolfe
O reino e o poder, Gay Talese
O segredo de Joe Gould, Joseph Mitchell
Stasilândia, Anna Funder
O super-homem vai ao supermercado, Norman Mailer
Tempos instáveis, org. Fernando de Barros e Silva
A vida como performance, Kenneth Tynan
Vida de escritor, Gay Talese
A vida secreta da guerra, Peter Beaumont
O Voyeur, Gay Talese
Vultos da República, org. Humberto Werneck
O xá dos xás, Ryszard Kapuściński

ZUENIR VENTURA

Chico Mendes
Crime e castigo

Quinze anos depois, o autor volta ao Acre para concluir a mais premiada reportagem sobre o herói dos Povos da Floresta

Posfácio
Marcos Sá Corrêa

Jornalismo Literário
Companhia Das Letras

Grafia atualizada segundo o Acordo Ortográfico da Língua Portuguesa de 1990, que entrou em vigor no Brasil em 2009.

Capa
João Baptista da Costa Aguiar

Revisão
Otacílio Nunes
Beatriz de Freitas Moreira

Atualização ortográfica
Renata Lopes Del Nero

Dados Internacionais de Catalogação na Publicação (CIP)
Câmara Brasileira do Livro, SP, Brasil

Ventura, Zuenir
Chico Mendes : crime e castigo : quinze anos depois, o autor volta ao Acre para concluir a mais premiada reportagem sobre o herói dos Povos da Floresta / Zuenir Ventura ; posfácio Marcos Sá Corrêa. — 1ª ed. — São Paulo : Companhia das Letras, 2003.

ISBN 978-85-359-0448-2

1. Acre – História 2. Crimes e criminosos – Acre 3. Mendes, Chico, 1944-1988 4. Repórteres e reportagens I. Corrêa, Marcos Sá. II. Título.

03-6682 CDD-070.44998112

Índice para catálogo sistemático:
1. Mendes, Chico : Acre : Reportagens 070.44998112

EDITORA SCHWARCZ S.A.
Rua Bandeira Paulista, 702, cj. 32
04532-002 — São Paulo — SP
Telefone: (11) 3707-3500
www.companhiadasletras.com.br
www.blogdacompanhia.com.br
facebook.com/companhiadasletras
instagram.com/companhiadasletras
twitter.com/cialetras

Sumário

CHICO MENDES

CRIME E CASTIGO

Chico Mendes

Zuenir Ventura com
Genésio Ferreira da Silva
em Xapuri (1989)

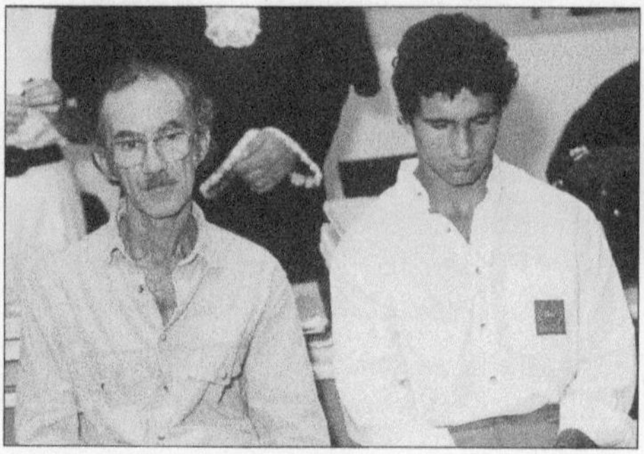

Os réus Darly Alves da Silva e
Darci Alves Pereira em 13 de dezembro
de 1990, dia do julgamento

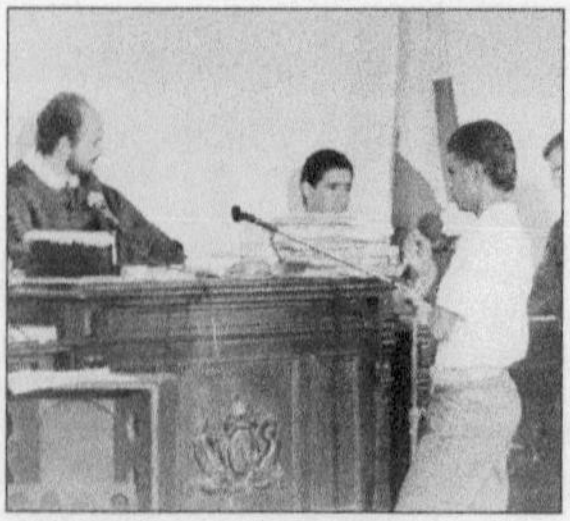

Genésio depondo perante
o juiz Adair Longuini

Fórum de Xapuri
no dia do julgamento

Introdução

Uma longa história

Devo a publicação destas reportagens a alguns amigos. Em primeiro lugar, a Marcos Sá Corrêa, então diretor de redação do *Jornal do Brasil* que, por sugestão de Flávio Pinheiro, editor-adjunto, teve a arriscada ideia de me mandar realizá-las em 1989, eu, que da Amazônia só conhecia o mapa. Em meio a um clima de apaixonada militância pela causa ambiental, ele acreditava que seria necessário um olhar menos engajado ou comprometido para dar conta do que se passava no Acre logo depois da morte de Chico Mendes.

Eu já tinha mais de trinta anos de carreira quando cheguei a Rio Branco, sem saber direito quem era aquele fascinante personagem. Só depois que ele morreu, aos 44 anos, é que o Brasil descobriu haver perdido o que custa tanto a produzir: um verdadeiro líder. À frente dos seringueiros que organizou, ele desenvolveu táticas pacíficas de resistência com as quais defendeu a Amazônia, que a partir dos anos 1970 sofrera um acelerado processo de desmatamento para dar lugar a grandes pastagens de gado. Fazendeiros do Sul, com incentivos do governo militar, passaram a expulsar posseiros e índios para instalar seus rebanhos nas terras devastadas pelo fogo. Chico não só lutou contra a devastação como chamou a atenção do mundo para essa luta.

O *New York Times* já o havia considerado "um símbolo de todo o planeta", o BIRD (Banco Internacional para Reconstrução e Desenvolvimento), o BID (Banco Interamericano de Desenvolvimento) e o Congresso americano apoiavam sua causa, a ONU já o premiara com o Global 500, mas ele precisou ser assassinado no dia 22 de dezembro de 1988 para ser reconhecido em seu país como um herói trágico que anunciou a própria morte. Anunciou incansavelmente. Poucas vezes a polícia contou com uma lista de acusados — mandantes, executores, cúmplices — fornecida pela própria vítima. Por meio de cartas, artigos, entrevistas, Chico denunciou os suspeitos a todas as autoridades, incluindo o presidente da República. Foi uma morte mais do que anunciada. Ele anunciou até o prazo dentro do qual ela ocorreria. Disse que seria assassinado até o dia 30 de dezembro de 1988. Foi morto oito dias antes.

O poder e a fama que adquiriu lá fora apressaram seu fim. Suas ideias provocaram a reação violenta de latifundiários, madeireiros e dos grandes projetos agropecuários que viviam do desmatamento desordenado da Amazônia. Nos meses que antecederam sua morte e enquanto se fechava o cerco sobre ele, Chico escrevia, ia às redações, procurava políticos, falava, gritava. Era uma ação desesperada que impressiona até hoje. Só não impressionou as autoridades da época.

O meu segundo agradecimento vai para Luiz Schwarcz, que quase quinze anos depois resolveu transformar as reportagens em livro. Aliás, para ser justo, ele já queria publicá-las logo após terem saído em série no *Jornal do Brasil*. Eu é que quis dar tempo ao tempo. Temia que um assunto como esse, que mobilizou tantas paixões e repercutiu no mundo todo, pudesse ser daqueles que despertam interesse intenso mas passageiro, esgotando-se no calor da hora sem merecer a permanência de um livro.

Um outro Luiz, Fernando Vianna, ajudou a me convencer que valia a pena a publicação, dispondo-se a recolher e organizar o material. Bem mais jovem e, portanto, com distanciamento crítico, ele acabou se responsabilizando também pela tarefa de descobrir o destino de alguns personagens e elaborar notas explicativas de fatos e feitos esquecidos ou desconhecidos. A ele e aos que o ajudaram aqui e no Acre — Marta Ribas, Júlia Feitoza, Gomercindo Rodrigues e Djalcir Ferreira — o meu reconhecimento.

Com Mary, minha mulher, e com Elisa e Mauro, meus filhos, ela editora e ele jornalista, ficou a missão de comparar a distante aventura, a que deram tanto apoio, com o resultado em forma de livro. Pelo zelo no meticuloso trabalho de editoração, o meu agradecimento especial a Marta Garcia.

Obedecendo à orientação que Schwarcz e Matinas Suzuki Jr. imprimiram à coleção Jornalismo Literário, mantendo as reportagens tais como foram escritas na época, não introduzi alteração ou correção que afetassem o sentido do texto original — no máximo trocas de títulos, mudanças na ordem dos capítulos (no livro, a história começa com a morte de Chico, por sugestão do próprio Luiz) e pequenos acréscimos como as palavras "ministro" ou "presidente da República" antes ou depois de um nome.

O livro foi dividido em três partes: "O crime", que corresponde à primeira viagem que realizei ao Acre em 1989; "O castigo", que descreve as minhas segunda e terceira idas para o julgamento dos assassinos em 1990; e "Quinze anos depois", quando revisito lugares e personagens durante uma quarta viagem em outubro de 2003.

A experiência profissional e existencial que resultou nesta série de reportagens me ensinou muito do Brasil, do Acre e de como, até já velho, a gente aprende no jornalismo. Essa tensão de "foca" diante de cada desafio, esse estresse que, como o colesterol, pode ser bom, talvez constitua o grande segredo da profissão, que é um interminável exercício de aprendizado e descoberta. Não existe repórter pronto. Ele é um processo, uma construção, uma obra imperfeita, inacabada.

Com a série, que se chamou "O Acre de Chico Mendes", conquistei, além dos prêmios Esso de Jornalismo e Vladimir Herzog de Reportagem, um outro, o maior deles, que foi conhecer a riqueza de uma terra e o caráter de uma brava gente que Chico Mendes chamava cheio de orgulho de Povos da Floresta, que ele defendeu até a morte.

Z. V.

PARTE I
O CRIME

O tiro que foi ouvido no mundo todo

No dia em que Chico Mendes ia morrer, 22 de dezembro de 1988, Ilzamar Mendes queria assistir à morte de Odete Roitman. Durante aqueles últimos oito meses, o Brasil parava às 8h30 da noite — 6h30 no Acre — para se revoltar com as maldades da megera sem escrúpulos e sem caráter que se transformara no símbolo de um país que terminava o ano com 900% de inflação, o naufrágio do *Bateau Mouche** e uma sensação de impunidade generalizada — um país do *Vale Tudo*, como sugeria o título da novela da TV Globo de que Odete era a vilã.

Se soubesse que a morte anunciada para aquela noite só iria ocorrer na verdade dois dias depois, quase na hora da ceia de Natal, Ilzamar não se apressaria tanto em interromper o jogo de dominó entre o marido Chico Mendes e os seus segu-

* Na noite de 31 de dezembro de 1988, o barco *Bateau Mouche*, superlotado com 150 pessoas que pagaram para ver do mar os fogos do réveillon de Copacabana, afundou no Rio de Janeiro. Na maior tragédia marítima brasileira, 55 pessoas morreram. Três dos proprietários do barco estão foragidos da Justiça, morando na Espanha e em Portugal, e nunca foram presos.

ranças, o cabo Roldão e o soldado Lucas. Os três, sentados nos banquinhos da mesa retangular da cozinha, coberta de fórmica, jogavam desde as cinco da tarde, assistidos por d. Maria Rocha, amiga do casal Mendes.

Ilzamar aproximou-se da mesa e disse: "Vocês me desculpem, mas vou servir o jantar agora, já são seis e meia, tá na hora da novela e hoje ninguém me faz perder esse capítulo". Eles sabiam que aquele capítulo, o 191, ela e outros 60 milhões de brasileiros não queriam perder. Chico ainda pediu "um minutinho" — que foi o tempo para o cabo Roldão ganhar aquela rodada. Em seguida, desfez o jogo, mandou que os companheiros fossem comendo — feijão, arroz e peixe — e chamou Ilzamar ao quarto: "Vou tomar banho e quero a toalha nova, aquela que ganhei no aniversário". Ela achou esquisito, com tanta toalha usada e ele pedir logo a nova, a que tinha ganhado no dia 15. Justo ele que não ligava para essas coisas! "Eu, hein", pensou Ilzamar, mas a pressa na hora era maior que a curiosidade. Que ele estreasse o presente, contanto que a deixasse livre para a novela.

Com a toalha sobre o ombro direito, como tinha mania de fazer, Chico partiu em direção ao banheiro, do lado de fora da casa, a uns três metros da porta da cozinha que se desce quase aos saltos, através de três degraus desiguais, toscos, numa altura de oitenta centímetros. Não resistindo aos apelos de Sandino, de dois anos, que correndo atrás pedia para ir também, Chico pegou o menino no colo, foi até a porta, que se abria de dentro para fora, da esquerda para a direita, puxou o ferrolho, entreabriu-a rapidamente, assustou-se com a escuridão e voltou para pegar a lanterna.

Do lado de fora, atrás do coqueiro, a uma distância de 8,2 metros da entrada da cozinha, Darci Alves Pereira não chegou a perceber o rápido abrir e fechar da porta. Não estava ali há muito tempo, uns quinze, vinte minutos. Sem relógio, ele só pôde calcular o tempo quando fez a reconstituição do crime porque se lembrou de que, ao entrar para a tocaia, ouviu o sino da igreja tocar. Haveria uma missa de formatura de oitava série às 19h30 e, nesses casos, como informou o seminarista Miguel da Rocha Rodrigues no seu depoimento no dia 1º de janeiro de 1989, era costume o sino dar uma primeira chamada às 18h30. A segunda era às 19h e a última às 19h15. Com essas informações, os peritos calcularam a hora do crime: 18h45.

Enquanto Darci espreitava na tocaia, Chico voltava, com Sandino no colo, para apanhar a lanterna, dizendo: "Amanhã boto uma luz nesse quintal". Foi quando Ilzamar se lembrou da gripe do filho.

— *Num* pode levar, não, o menino tá gripado, Chico!

— Ah, deixa ir, o bichinho tá querendo.

Mas Ilzamar não abriu mão: "Além do mais, ele tem que jantar". Arrancou o menino do braço direito do pai — o braço que daí a pouco seria perfurado por dezoito grãos de chumbo — e foi dar-lhe de comer na sala em frente à televisão. Já estava sentada, quando ouviu a explosão.

"Foi um estouro, um tiro tão violento que estremeceu a casa", não se esquecerá nunca Ilzamar. Ouviu a "zoada", mas não sabia de onde vinha. Chegou a ficar zonza. Correu então à janela, mas não viu ninguém: a rua vazia, a delegacia quase em frente, a sessenta passos, incompreensivelmente quieta. Os dois policiais sentados em cadeiras na calçada, impassíveis, davam a suspeita impressão de que só eles não tinham ouvido o tiro.

Nesse momento Ilzamar teve um pressentimento: "O Chico tá no banheiro e atiraram nele".

Uma fração de segundo foi suficiente para que do pressentimento ela passasse à certeza de que aquele estouro, fosse o que fosse, tinha como alvo o marido. Saiu correndo, com Sandino no colo, pelo corredor que leva à cozinha, e nessa corrida ainda sofreu o esbarrão do soldado Lucas, que gritava: "Atiraram no Chico!".

Estranhamente, ele corria na direção contrária, rumo à rua — não em direção ao homem cuja vida tinha por tarefa proteger nem em direção ao quintal de onde o pistoleiro tinha atirado. Por ordem do cabo Roldão, o soldado ia ao quartel da PM pegar uma metralhadora. Os dois estavam armados de revólver, mas, soube-se depois, com pouca munição.

Ao chegar à porta do quarto, Ilzamar viu o marido cambaleando, tentando se agarrar em alguma coisa, caindo. O sangue que cobria seu peito não deixava dúvida quanto à extensão do ferimento. Além das dezoito perfurações no braço, ele fora atingido no peito direito por 42 grãos de chumbo. "Me acertaram", gemeu.

"Ele vinha com as mãos na cabeça, todo vermelho de sangue", relembra Ilzamar. "Quando eu quis pegar no seu braço, ele caiu e ficou se debatendo. Aí vi que estava morrendo." A filha, então com quatro anos, quis segurá-lo, mas só conseguia gritar: "Mamãe, socorre papai, ele tá sujo de sangue!".

Ilzamar abraçou-se com o marido, puxou-o para dentro do quarto e saiu gritando por socorro. Ela temia que, em vez de correr pelo mato, como fizeram, o pistoleiro ou pistoleiros subissem a escada da cozinha para acabar de liquidar com o marido e toda a família, ela e os dois filhos.

"Ele queria dizer alguma coisa, mas não conseguia", recorda quase dois anos depois Elenira, que ficou agarrada ao pai, esperando em vão que ele dissesse o que queria. "Ele olhava para mim, mexia com a boca, mas não saía nada."

À tarde, depois de passear com as crianças no caminhão que, por doação, conseguira para o seu sindicato, Chico encenou uma espécie de premonição dessa cena. No chão, rolando e brincando com Elenira, ele perguntara sem mais nem menos: "Se seu pai morrer, você vai chorar?". A filha disse que sim, claro, e ele tentou convencê-la a não fazer isso. "Se seu pai morrer, você tem que ser forte, tem que estudar pra continuar a luta dele." Ao ouvir aquilo, Ilzamar se irritou: "Mas que conversa, Chico. Para com isso!".

Agora ali, já na porta da rua, ela estava desesperada e impotente. "Era incrível. Eu olhava para a delegacia e os dois policiais continuavam sentados. Eu gritava 'mataram Chico Mendes, mataram Chico Mendes' e eles nem olhavam. Eu gritava tanto e tão alto que o meu irmão, que estava distante, na casa da sogra dele, ouviu meus gritos."

Se os dois policiais tivessem se movimentado, poderiam prender Darci, que nesse momento estava fugindo a pé em direção à Fazenda Paraná, de seu pai, onde umas duas horas depois chegou anunciando: "O serviço tá feito" — e feito rapidamente. "Quando ele [Chico] abriu a porta", contou Darci na sua confissão, "o foco da lâmpada da casa dele bateu no rosto dele." Sentado sobre uma pilha de tijolos, Darci só teve o trabalho de levantar a espingarda CBC de cano longo e disparar o cartucho Gauge, calibre .20. Não precisou mirar. Acostumado a caçar, principalmente onça, ele confessaria depois que atirou como quem atira numa caça, "porque não dá tempo de mirar".

Se a porta da cozinha da casa não abrisse da esquerda para a direita, mas ao contrário, o pistoleiro teria o seu trabalho dificultado. O alvo não se apresentaria tão visível nem tão iluminado de trás por aquele corredor de luz. Com o trabalho facilitado por esse acaso que desconhecia, Darci não precisou conferir o serviço. "Disparei a arma e saí correndo." Sessenta grãos de chumbo haviam se alojado no corpo de Chico — dois atingiram a porta e uns outros poucos se dispersaram.

Ao receber a carga, Chico disse "ai", amparou-se no cabo Roldão e ainda caminhou quatro metros — a distância que separava a porta da cozinha da porta do quarto. Aí caiu.

O primeiro vizinho a chegar foi o vereador do PT Júlio Nicasso, que morava três casas adiante, no mesmo lado da rua. Ele estivera com o amigo até pouco antes e fora jantar correndo para ir dar sua aula no segundo grau e em seguida voltar para continuarem o jogo. Chico ainda estava se debatendo quando Nicasso o colocou sobre a sua perna. "Ele ficou ali até que morreu", contou ao delegado Melo Neto no dia 1º de janeiro de 1989.

Na véspera do crime, Chico dissera a Nicasso que tinha chegado à conclusão de que dificilmente chegaria até o dia 30. "Ele foi categórico em dizer isso; ele disse isso para mim e para a irmã dele", contou.

Impressionado por essa confidência, Nicasso voou de sua casa já sabendo: "Quando ouvi o tiro, para mim não tinha mais dúvida nenhuma".

Chico Mendes acertou quando anunciou que ia ser morto, mas errou ao achar que sua morte poderia ser inútil. Aquele estouro que Ilzamar ouviu, no começo da noite de 22 de dezembro de 1988, chegou ao mundo todo. Nunca um tiro dado no Brasil ecoou tão longe — até hoje.

Como se criam pistoleiros

(*Março/Abril, 1989*)

A possante Chevrolet D-20 estava entrando na estrada de Xapuri quando o guarda do posto rodoviário nos parou e pediu carona para o sargento que estava a seu lado — um jovem forte, baixo, de tênis e calça jeans. Mal se sentara no banco de trás da cabine dupla, depois de colocar a bolsa de mão e as botas na carroceria, perguntamos se ele morava em Xapuri. A resposta parecia muita coincidência e sorte demais para quem ia àquela cidade saber como andavam as investigações sobre a morte de Chico Mendes:

— Eu comando a Operação Chico Mendes lá.

Os passageiros — dois jornalistas e o advogado do líder seringueiro assassinado — evitaram se entreolhar, e se apresentaram falsificando a identidade: um era escritor da região e os outros dois, turistas em busca de emoção. Não ocorreu na hora que ambientalistas soaria mais adequado do que turistas.

O sargento não gostava apenas de exibir os músculos numa apertada camiseta de malha. Era também um exibido em palavras e gestos. Não precisou ser muito instigado para fazer algumas revelações que certamente não faria se conhecesse de fato a plateia. Mas diante de inofensivos turistas, ele poderia contar tudo o que sabia sobre as investigações. A viagem prometia. Não havia dúvida de que íamos ter um companheiro falante para as nossas prováveis três horas em cima de uma estrada de 180 quilômetros, dos quais pelo menos uns cinquenta eram tomados por um lamaçal que só é transposto porque há a presença permanente de um trator retirando os atolados.

Havíamos saído de Rio Branco às 12h45 com o marcador de quilometragem do carro em 33778. Ricardo Lessa contara no *Jornal do Brasil* como os repórteres do jornal *Rio Branco* diziam ter chegado ao local do crime uma hora e meia apenas depois do ocorrido. Se assim fosse, não era um furo jornalístico, era um feito automobilístico, ainda mais que o motor do Gol chegara a seu destino sem esquentar — como observara um soldado da PM. O épico relato do jornal contava a chegada à redação da equipe: "Todos satisfeitos por viverem esta corrida contra o relógio em favor da informação".

Em favor da informação e da Volkswagen. Era a noite de 22 de dezembro de 1988 e a chuva caía como quase já não cai agora nesse fim de inverno/começo de verão aqui. Numa estrada em que poucas, pouquíssimas marcas de carro se aventuram — é pista para D-20, F-1000, jipe Engesa, de preferência a óleo diesel —, o Gol dos jornalistas voara. Pilotado pelo editor Júlio César Fialho e tendo ainda a bordo o repórter Adonias Mato e o fotógrafo Luís dos Santos, o carro enfrentou adversidades inimagináveis, mas nenhuma delas suficiente para diminuir o ímpeto daqueles ícaros.

Para se ter uma ideia, na volta, com o furo na mão — a foto exclusiva e o relato de quem viu primeiro —, as peripécias foram tais que quem quiser reproduzi-las no filme sobre Chico Mendes*

* Ver nota sobre o filme no capítulo "O que aconteceu com eles", p. 231.

corre o risco de filmar James Bond. O primeiro azar ocorreu quando o carro estava a uns trinta quilômetros de Rio Branco: um pneu furou. Pior: o estepe também estava furado. Como não havia posto por perto, a opção era passar o resto da noite na estrada, imaginem, com um furo na mão. Isso nem pensar. Ou fazer o que os imaginosos rapazes fizeram: voar sobre três rodas. Por que não?

Alguém que já tenha tentado isso alguma vez, nem que fosse por poucos metros, sabe o quanto é difícil. Mas não para os três, que estavam preparados para todas as provações, inclusive para a pane elétrica que, em seguida, apagou todos os faróis deixando acesa apenas a lanterna de emergência. Foi assim, iluminada por essa lanterna, mas sobretudo por uma vontade imbatível, que a equipe do *Rio Branco* voltou à capital do império de Galvez pouco mais de três horas depois de ter saído para trazer um dos maiores furos do ano.

O sargento não conhecia a história, mas, acostumado àquele percurso, não acreditava nela. De qualquer maneira, o marcador de quilometragem da nossa D-20 e o relógio é que dariam a palavra final. Enquanto isso, o sargento não ia parar de falar.

A maior dificuldade que ele e seus homens tinham para perseguir os fugitivos — Alvarino, irmão de Darly, e o filho deste, Oloci, suspeitos de participação no assassinato de Chico Mendes — era a falta de recursos. Há pouco tempo, só para dar alguns exemplos, o comandante da PM de Xapuri solicitara à capital a remessa de duzentos cartuchos. Recebera setenta. Além disso, estavam comendo só sardinha e arroz e dormindo por turnos: como havia apenas dez colchões para vinte soldados, eles eram obrigados a um desconfortável revezamento de sono.

Para as diligências, o delegado que dirige o inquérito tem à sua disposição o pelotão sob o comando do sargento: onze homens. Mas para deslocar esses soldados, seriam precisos no mínimo um barco veloz, chamado voadeira, e um Engesa: a primeira para diminuir as distâncias fluviais que, em canoas, são medidas em dias ou até semanas; o segundo, para enfrentar estradas intransponíveis de outro jeito. O sargento não aguentava mais de impaciência para entrar na selva. Ele e seus homens conheciam bem a mata, são corajosos e, em breve, ele tinha certeza, pegariam os fugitivos — desde que o governo ajudasse.

Para quem não é do Acre, o nome do sargento não significava nada. Quase no meio do caminho, ele declarou que se chamava Honorato, Honorato Neto. Mas preferia que o chamassem pelo nome de guerra: H. Neto. Não confessava, mas era evidente que não sentia o menor orgulho por esse Honorato, embora o nome, pelo visto, perseguisse três gerações da família. Agá Neto tinha razão: Honoratuneto era um cacófato, não era nome para um guerreiro da selva, intrépido nos seus 26 anos.

Como H. Neto, Honorato tornara-se famoso e chegara a frequentar as páginas policiais, acusado de comandar o Esquadrão da Morte em Rio Branco. O que os jornais noticiaram na época o sargento confirmou dentro daquele carro para ouvintes que ele julgava inofensivos. Há tempos, a Polícia Militar tentara prender Piaba, perigoso bandido que intranquilizava a cidade. Piaba foi cercado, matou um PM, levou vários tiros, mas não morreu. Quando estava deitado na mesa de cirurgia do hospital, com uma equipe de médicos em volta, o pelotão de H. Neto invadiu a sala e despejou sobre o paciente uma quantidade de tiros suficiente para matar uma quadrilha.

— Só eu dei doze tiros — vangloriou-se o nosso companheiro de viagem.

Como nenhum dos passageiros do carro jamais ouvira alguém confessar a autoria de doze disparos sobre uma pessoa — ou mesmo sobre várias —, ficaram todos com cara de espanto e medo. Estimulado pela perplexidade dos ouvintes que ele com certeza confundiu com admiração, H. Neto entusiasmou-se e contou outros feitos menores. Depois parou e teve o seu único momento de fraqueza:

— Eu só tenho uma frustração: não ter participado da Guerra do Vietnã e da guerrilha do Araguaia.

Como se vê, a exemplo de tantos valentes, H. Neto tinha seus devaneios. Só que, por um provável desvio de libido, a fantasia do nosso Honorato, cuja mulher estava para lhe dar um filho, era também de natureza bélica.

A chegada a Xapuri às 15h, duas horas e quinze minutos depois de termos saído de Rio Branco, numa tarde sem chuva e com o carro desenvolvendo no asfalto até 120 km/h, provava que os rapazes de Rio Branco tinham conseguido um milagre que valia a pena ser averiguado pela polícia — mas até aquele momento, quase quatro meses depois, não fora. Merecia porque, se verdadeira a história, ela deveria dar a seus autores se não um Prêmio Esso, pelo menos um prêmio Ayrton Senna. Se falsa, havia uma hipótese a ser investigada. Alguém bem informado poderia ter avisado aos repórteres do jornal do advogado João Branco de que o crime mais anunciado do ano seria finalmente naquele dia.

— Quando eu vi aquele cara dizendo que era Federal e aquele carro sem sinal de lama, achei suspeito. Não podia estar vindo de Rio Branco de jeito nenhum — nos confessaria em outra viagem a Xapuri o soldado da PM Teles, 29 anos. — Coloquei a mão no capô do Gol, ele estava frio, frio. Aí eu disse: "Esses caras são suspeitos".

— A polícia não o procurou para ouvi-lo?

— Não, ninguém.

Pouco antes de chegar, tivéramos o cuidado de revelar ao sargento dos doze tiros a nossa verdadeira identidade. Desnecessário. H. Neto não dá o braço a torcer: "Eu já sabia".

Quando finalmente fomos deixar o nosso Rambo no quartel da PM que fica na mesma praça onde são vizinhos o Sindicato dos Trabalhadores Rurais, a Igreja e a estação rodoviária, havia duas pessoas sentadas na porta de entrada, uma de cada lado. Numa cadeira, um soldado da PM e na outra um quase adolescente de cabelos oxigenados.

O advogado Genésio Natividade, nosso companheiro de viagem, informou que o menino sentado constituía-se na testemunha-chave do processo Chico Mendes e, ainda por cima, era seu xará. Chamava-se Genésio Ferreira da Silva. Nos pareceu que eram Genésios demais numa mesma história, mas, enfim, isso não era problema nosso e sim do diretor do filme. Se ele resolver manter os nomes reais, vai dar ao mundo uma falsa imagem do país — a de que no Brasil, para cada Chico, há dois Genésios, o que não é verdade nem no Acre.

Genésio, catorze anos, dos quais sete vivendo na fazenda do maior inimigo de Chico Mendes, o pistoleiro Darly Alves da Silva, é, depois do próprio Chico, o personagem mais interessante desse processo.

Dez minutos depois de depositar Rambo no quartel e jogar as malas no hotel, estávamos de volta para entrevistar o garoto Genésio num banco na praça em frente à PM. O advogado, seu xará, contara como, na acareação com os pistoleiros, aquele quase menino enfrentara os dois com acusações contundentes e uma coragem fora do comum.

Genésio não tem nada a ver com o que se convencionou classificar de adolescente no Sul do país, embora para os padrões locais possa ser considerado normal. Fisicamente, ele parece ter menos idade. É magro, enxuto, nunca jogou bola e conhece brinquedo apenas de nome. De namoro, amor e sexo, por enquanto o que guarda são duas cicatrizes mal curadas na barriga, resultado de um coice que lhe atingiu o apêndice e a bexiga.

Psicologicamente, Genésio é um adulto. Seu olhar é duro e seu riso tão raro quanto raras são as palavras que ele gasta com usura, só para responder. São respostas secas e seguras. E é inútil tentar pegar contradições, mesmo quando se tem que repetir a gravação por defeito do gravador ou quando se testam as perguntas em momentos distintos.

Por aquisição precoce do sentimento machista que valoriza a coragem física, Genésio mentiu uma vez, ao dizer que não tem medo de represálias.

— Mas nem do Darly, que já matou ou mandou matar tanta gente?

— Não.

No dia seguinte, ao levá-lo para comprar uma calça e uma camisa que substituiriam o short e a camiseta surrados, achamos estranho que ele não quisesse descer do carro para experimentar a roupa. Não dizia por quê, mas se negava a sair para escolher o que certamente queria.

De dentro da loja, um homem insistia com o olhar em descobrir quem estava na caminhonete.

Depois, já longe dali, o experimentado motorista informou que a loja era de um parente de Darly. Só então o garoto admitiu a razão da recusa. Sem usar a palavra medo, ele concordou que não tinha descido por causa dos parentes do seu inimigo.

Trabalho maior teríamos para descobrir por que aquela alma aparentemente sem ego, onde a vaidade parecia nunca ter entrado, resolvera oxigenar os cabelos. Não era para ficar bonito nem para imitar algum surfista da televisão — irritou-se com a hipótese. Por que então? Era um ardil do ingênuo e apavorado Genésio. Ele achava que assim ficaria irreconhecível. Na semana seguinte, além da água oxigenada, a cabeça tinha sido quase raspada. Mas aí não foi preciso perguntar por quê.

Dos sete anos até a morte de Chico Mendes, Genésio viveu na Fazenda Paraná, de Darly Alves da Silva, que está preso com o filho Darci. Acordava às seis horas, ia pastorear o gado, dar sal, roçar e colocar veneno nos carrapichos. Sua mãe eram as quatro mulheres de Darly se odiando (Elpídia, Francisca, Margarete e Natalina), e seus companheiros de todo dia, Darlyzinho, de dezoito anos, Oloci, de 22, Darci, o Aparecido, de 21, e os mineirinhos (Amadeus, Francisco e Jardeir, ou Antônio) — todos com fama de pistoleiros.

— Quem visitava a fazenda?

— Visitava o João Branco, o Benedito Rosa, o Gaston Mota, o delegado Enock, o Jonas Daguabi e o Aragão.

— O João Branco ia lá muitas vezes?

— Ia.

— Você ouviu alguma conversa sobre o Chico Mendes?

— Ouvi do João Branco com o *véio* Darly. O *véio* Darly perguntou que que João Branco achava dele matar o Chico Mendes. Aí o João Branco falou que se for igual às outras mortes que o senhor faz e *num* dá nada, pode matar que se der rolo e eu puder ajudar, eu ajudo.

— Isso foi quando?

— Foi no mês de novembro.

— Como é que você ouviu essa conversa?

— Eu ouvi eles falando. Tem a área assim, tem uma casinha assim, eu ficava de trás da casinha escutando.

— E esse João Branco foi lá muitas vezes?

— Foi umas cinco *vez* antes da morte de Chico Mendes.

— Ele ficava lá?

— Num tempo ele foi e ficou uma semana.

— Dormindo lá?

— Dormindo, bebendo uísque.

— Ele levava uísque ou tinha uísque lá?

— Ele levava.

— Você já conhecia ele?

— Eu conheci ele em Brasileia. Eu fui lá mais o *véio* Darly com o carro, e aí o *véio* Darly conversando com ele falou que era amigo dele, que chamava João Branco.

— Como é que eles te tratavam lá?

— Eles me bateram muitas *vez* pra eu não contar os segredos deles.

— Que segredos você sabia deles?

— Eu sabia da morte do Raimundo Ferreira, que pediu a mão da filha dele em casamento, aí ele não deu. Raimundo Ferreira também brigou com Oloci, aí mataram ele.

— Quem matou?

— O Oloci, o Aparecido e um primo do Oloci, o Rildo.

— Como é que você sabe que eles mataram?

— Porque eu ia passando de cavalo, correndo, eu nem tava vendo eles, mas eles pensaram que eu tava vendo, eles me chamaram. Eu fui lá, vi o homem com a orelha cortada, o nariz e um beiço.

— E o que eles fizeram?

— Eles chegaram em casa e empurraram uma faca na minha barriga pra mim não contar pra ninguém. Eu falei que não ia contar não.

— Quem era o mais violento?

— Era o Darci e os três mineirinhos. Uma vez eu achei uma caveira lá, aí bicaram revólver em cima de mim, meteram faca na minha barriga pra eu não contar. Eles *falou* que se eu contasse eles *ia* me matar.

— Era caveira de gente?

— Foi. Tava queimada.

— E a história dos bolivianos?

— Os bolivianos passaram na casa dos mineirinhos, pediram água, falaram obrigado e saíram. Aí os mineirinhos pegaram a bicicleta, passaram por eles, foram na fazenda e falaram com os meninos que *ia* dois bolivianos estranhos, queriam ver o que eles *ia* levando. Aí os meninos foram esperar lá na frente, meteram os *revólver* neles, reviraram as coisas deles e pegaram maconha.

— De que cor era essa maconha?

— Branca.

— Como é que estava embrulhada?

— Dentro de um saco plástico.

— Quem eram os meninos?

— O Oloci e o Darci.

— Eles é que mataram?

— Foram os dois mineirinhos. Só escutei dois tiros.

— O que eles falavam do Chico Mendes?

— Quando eles começaram a briga deles, o *véio* Darly falou que ia matar Chico Mendes, porque o Chico Mendes ficava falando dele por trás. Disse que ele não ia ter nem mais um ano de vida. Antes de matar, ele falou que ia pedir a mão de Chico Mendes a *cumpadre* só pra matar.

— Como é que é?

— Ele ia chamar o Chico Mendes lá pra ser *cumpadre*, e aí ia matar ele.

— No dia que Chico Mendes morreu, o que eles fizeram?

— Mataram uma vaca. Ele falou que o dia que matassem o Chico Mendes, eles matavam uma vaca. E matou mesmo.

— Você tem medo de ficar aqui?

— Não, *num* tenho medo não. Mas é que eles *judeiam* de mim.

— Quem?

— O Zé Elias já veio aqui duas *vez*, me bateu dizendo que era brincadeira, mas batendo com força. O Toninho e o Iran, na delegacia, também fazem me bater, me prender.

— O delegado não faz nada?

— Faz nada.

— Você já falou com ele?

— Falei não. Eu queria é falar com o juiz.

— O juiz vem aqui te ver?

— Nunca veio me ver não.

— Como é que você foi parar na fazenda do Darly?

— Minha mãe deu *eu* pra ele. Ele adulou ela, pediu, aí ela deu.

— Você está feliz?

— Tô não.

— O que precisa pra você ficar feliz?

— Se eu for pra Rio Branco, eu fico. É só eu sair daqui.

— Você quer fazer o que lá?

— Eu queria estudar.

Genésio Ferreira da Silva é um cidadão precoce que o destino tentou pela convivência e pelo exemplo transformar em pistoleiro. Só o mistério da índole, na falta de outra palavra, pode ter impedido esse menino de seguir a carreira de seus irmãos de criação e do pai adotivo. Mas nem isso nem a condição de testemunha-chave do processo Chico Mendes evitaram o desamparo e a solidão de uma criança que resolveu escolher o atravancado caminho da legalidade numa terra onde ela ainda não pegou. Genésio resiste — resta saber até quando.

Quase um mês depois dessa entrevista, no dia exato em que fazia quatro meses do enterro de Chico Mendes, Genésio foi entregue à guarda do comandante da PM de Rio Branco, coronel

Roberto Ferreira da Silva, um estudante de Letras e admirador de Gandhi por quem a cidade tem o maior respeito. Ali, Genésio ingressou na Guarda Mirim e vai estudar. No ofício em que autorizou a transferência, o juiz de Xapuri, Adair Longuini, escreveu: "A medida se faz necessária em razão de encontrar-se o menor em ambiente não muito recomendado [...], além do que figura dentre as testemunhas do caso Chico Mendes, tendo declarado em seu próprio depoimento que temia uma ação maléfica contra a sua pessoa".

Inexplicavelmente, de todas as entidades e instituições nacionais ou estrangeiras, religiosas ou laicas, interessadas no caso Chico Mendes, a única a se sensibilizar pelo drama de Genésio Ferreira da Silva foi a Polícia Militar de Rio Branco.

Uma gargalhada sem igual

O delegado estava certo de que poderia entrar para a História. Na porta da modesta pensão que só uma ousada licença poética autoriza a se chamar de Veneza Hotel, Nilson Alves de Oliveira, responsável pela Delegacia Geral de Xapuri, aguardava os seus interlocutores: os dois jornalistas e o advogado. Eram nove horas da manhã de um domingo e o delegado se permitira dormir até um pouco mais tarde. Com os cabelos ainda molhados cobrindo uma cabeça nordestina solidamente sustentada por um curto e grosso pescoço, Nilson lembrava o ator Othon Bastos. Contido, o delegado só esboçou algum ar de satisfação quando o jornalista Edílson Martins, já seu conhecido, lhe fez um agrado:

— Você tem que exigir que o seu personagem no filme seja feito por Othon Bastos.

Nestas últimas semanas, no eixo de 180 quilômetros que vai de Rio Branco a Xapuri, qualquer pessoa entenderia a referência a "o filme". A incrível presença de estrangeiros na capital do Acre em fins de março, durante o Segundo Encontro dos Seringueiros e Primeiro dos Povos da Floresta, o movimento dos bares e hotéis e sobretudo o leilão dos produtores disputando em milhares de dólares o direito de filmar a vida de Chico Mendes têm dado a Rio Branco e a Xapuri o aspecto de um festival de cinema. Quem sabe não estaria começando, cem anos depois do Ciclo da Borracha, o Ciclo do Cinema?

Alguém deveria estar filmando o filme do filme. Pode ser uma maldade o que estão fazendo com o povo dessas terras que o escritor Márcio Souza tão bem entendeu. No estado da "miração" — onde, ao que se diz, uma em cada três pessoas toma o chá alucinógeno usado nos rituais da seita Santo Daime — propício a visionários como Galvez, Plácido de Castro e mesmo Chico Mendes, nessas florestas de solidão, não se sabe o que pode estar acontecendo com a imaginação e o desejo de pessoas simples, muitas das quais já olham para o gravador e a máquina fotográfica como se estivessem olhando para uma câmera.

Uma noite, pouco depois do final do Encontro, numa mesa do Caxinawá, um badalado bar do Baixo Leblon de Rio Branco, o americano Steve Schwartzman, do Environmental Defense Fund, uma entidade ambiental, contava como ele próprio estava sendo assediado pelos produtores patrícios com tentações como esta:

— Estamos pensando para o seu papel em convidar Dustin Hoffman, o que você acha?

A antropóloga Mary Helena Allegretti, amiga e colaboradora de Chico Mendes, também recebeu semelhante insinuação:

— O seu papel tem que ser feito por Sigourney Weaver (a antropóloga de *Nas montanhas dos gorilas*).

Se estão fazendo isso com pessoas que sabem se defender, o que dirá com os seringueiros?

Mas naquele domingo, 2 de abril de 1989, Xapuri estava tranquilamente entregue aos seus 5 mil habitantes urbanos.

Depois de ver o desfile de misses no Programa Sílvio Santos e um violento filme de caratê, o delegado dormira uma noite sossegada e naquele momento nos convidava a subir ao segundo andar do hotel, onde mora no quarto 7, para, na varanda, conceder uma entrevista para não ser publicada.

Revelando segurança e um surpreendente conhecimento técnico das fases do inquérito, o delegado falou durante duas horas sobre providências para tentar prender os fugitivos Alvarino e Oloci Alves, e sobre sua esperança de chegar aos mandantes do assassinato de Chico Mendes.

Ele tinha suas justas queixas em relação à precariedade de recursos — o seu sonho, o mesmo de H. Neto, se resumia a conseguir uma voadeira e um jipe Engesa. Ostentava, contudo, a certeza do que chamava de "destino histórico" a ele reservado. Sabia que o fato de ter entre as grades Darci Alves, autor confesso da morte, e seu pai Darly, inimigo de Chico, não respondia à pergunta que o Brasil e o mundo continuam fazendo: quem matou Chico Mendes?

Não teve dificuldade em admitir o envolvimento de pessoas influentes no crime, mas cautelosamente evitou citar nomes, alegando com razão que é fácil acusar pelos jornais, mas difícil apresentar provas à Justiça, que é sua obrigação. A certeza, porém, de que chegaria a isso fazia crer que ele tivesse mais trunfos do que estava disposto a revelar naquela entrevista.

Pressionado pelos entrevistadores, o delegado se esquivava espertamente e só demonstrou alguma fraqueza quando seu ego esteve diante desta observação:

— A primeira parte dessa história teve um herói, Chico Mendes; a segunda pode ter um outro, o senhor.

Nesse momento, Nilson Alves de Oliveira, o Sheriff of Xapuri City, se viu nas telas. E resolveu aceitar um tipo de jogo que repórteres metidos a espertos costumam propor a entrevistados relutantes em citar nomes:

— Vamos dizer os nomes e o senhor só vai dizer sim ou não, está bem?

Othon Bastos sentiu que aquele era o momento em que poderia roubar a cena. Algo como um estalo iluminou-lhe o rosto, vitorioso:

— Mas vou dizer com a cabeça.

O perspicaz dr. Nilson sabia que, como gravador ainda não registra gestos, ele poderia responder às perguntas sem que amanhã, quem sabe, a eventual divulgação da fita pudesse condená-lo por inconfidência. O jogo dos espertos ia começar:

— João Branco?

A cabeça do delegado disse que sim e repetiu o gesto ao ouvir mais uns quatro nomes.

De todos, o nome realmente quente era o de João Branco, citado antes pelo garoto Genésio como frequentador da fazenda do seu amigo Darly Alves. João Branco, como se sabe, é um dos proprietários do jornal *Rio Branco*, advogado de fazendeiros e ele mesmo um deles, membro da UDR (União Democrática Ruralista) e dissidente de Ronaldo Caiado, com quem rompeu por se sentir abandonado quando maiores eram as acusações de seu envolvimento na morte de Chico Mendes.

O seu nome como possível mandante anda de boca em boca no Acre — bocas de esquerda, claro. A direita ou finge que não ouve ou se irrita e pede provas. A esquerda insiste nas acusações. Por uma dessas, divulgada na *Folha de S.Paulo*, Fernando Gabeira fora desacatado no restaurante do aeroporto de Rio Branco, um reduto da UDR. Pouco antes de embarcar para o Rio de Janeiro, de onde viera para o Encontro, Gabeira comia no restaurante com alguns amigos, quando Branco se levantou de outra mesa e despejou sobre o pacífico líder verde toda a sua violência verbal:

— Você é um covarde, levanta, reage, seu filho disso e daquilo.

A claque de fazendeiros aplaudiu, mas Gabeira teve a serenidade de ouvir tudo calado e só quando o dedo do agressor chegou mais perto do seu rosto, dizem testemunhas, ele se deu ao trabalho de desviá-lo com a mão.

Na noite seguinte, no mesmo local, jantávamos com um secretário do Governo do Acre quando se aproximou de nossa mesa um homem corpulento, simpático, cheio de cortesia para com os amigos do seu amigo, com quem conversou de pé alguns minutos. Quando se retirou, o nosso comensal disse quem era: João Branco. Parte da nossa mesa tremeu.

— Ele estava me explicando o que houve com o Gabeira — informou o secretário. — Não foi nada do que os jornais disseram.

Durante algum tempo, o nosso simpático interlocutor procurou nos convencer de que aquele gordo bonachão era incapaz de qualquer violência. Na mesa central, acompanhado de amigos e esposas, Branco esvaziava um litro de Logan, muito comum aqui onde, graças à proximidade com a Bolívia, pode-se beber uísque de primeira linha, autêntico e a NCz$ 31,00* o litro de doze anos, se comprado, por exemplo, em Cobija, vizinha de Brasileia e aonde se vai atravessando uma fronteira seca quase invisível. Ali, além de uísque, alguém com dinheiro pode comprar também armas sem restrição. Semanas depois, com o cineasta Roberto Farias, iríamos confirmar a liberalidade do país irmão. A dona de uma casa de armas nos garantiu que poderíamos levar, sem problemas de alfândega, o que desejássemos na quantidade que quiséssemos: revólveres, pistolas e até mesmo Winchester.

* Em 1989, o Cruzado Novo substituiu o Cruzado, cortando-se três zeros dos valores na moeda anterior, criada em 1986 e então já corroída pela inflação. CZ$ 31000,00 se transformaram em NCz$ 31,00, portanto. Em 1990 ressurgiu o Cruzeiro, em 1993 o Cruzeiro Real, e em 1994 a moeda passou a ser o Real.

— Ele bebe um litro por dia, trinta litros por mês — informou-nos o amigo de João Branco.

Fora esse vício, o advogado, segundo a generosa visão do amigo, era um virtuoso e só a "paranoia de esquerda" poderia colocá-lo na lista de suspeitos do assassinato de Chico Mendes.

O nosso interlocutor, assim como o governador Flaviano Melo, um jovem quadro do PMDB, com quem conversamos antes, tinha uma grande admiração por Chico Mendes — pelo grande líder e pelo hábil político, por um homem com convicções tão sólidas que não rejeitava o diálogo, sobretudo com os adversários.

A caminho de Plácido de Castro para os festejos de comemoração dos doze anos de emancipação da cidadezinha que homenageia o herói do Acre, o governador nos dissera:

— O mundo perdeu um ecologista, o Brasil perdeu um líder político e eu perdi um interlocutor querido, apesar de nossas divergências.

Os adversários políticos de Chico Mendes têm uma tese, aparentemente convincente, que naquele jantar, entre goles de um irresistível Glenfiddich boliviano, o nosso secretário de estado desenvolveu brilhantemente. Segundo ele, Chico Mendes não ameaçava os fazendeiros da UDR — até porque só o líder seringueiro era capaz de conter, com sua autoridade, os radicalismos estimulados pela ala xiita do PT junto aos trabalhadores rurais.

A morte de Chico Mendes teria sido consequência de uma desavença pessoal com um desclassificado pistoleiro. Diante da implacável perseguição de Chico Mendes, tentando colocar na cadeia um fugitivo com nove mortes nas costas, a reação do marginal acuado fora o assassinato.

Essa desideologização do crime, tentando transformá-lo num *fait-divers*, parecia à primeira vista irrecusável — se pudesse explicar as incongruências que cercam o episódio. Se é assim tão simples, e pode ser, ninguém sabe, por que não passar rigorosamente a limpo todas as pistas? Por que não investigar para valer?

O que espanta a quem passe aqui nem que seja um mês, sem "paranoia de esquerda", é a insuficiência da apuração. Não se está falando nem da precariedade de meios — dos recursos básicos reclamados por H. Neto e Nilson de Oliveira —, mas da falta de uma coisa sem a qual um processo como este não avança: vontade política.

O assassinato de Chico Mendes tem uma originalidade. Poucas vezes uma vítima deixou um roteiro de investigação tão completo para a polícia. Por exemplo: um dos nomes que ele formalizou por escrito como suspeitos de sua morte, tantas vezes anunciada, é o de Mauro Spósito, antigo superintendente da Polícia Federal no Acre. Alguém pode imaginar o delegado da cidadezinha de Xapuri — com esforço e até competência técnica, mas sem apoio político — enfrentando um subordinado do poderoso Romeu Tuma, diretor-geral da PF? É como o dr. Nilson mesmo diz: "No Brasil não é difícil identificar os executantes, mas os mandantes".

No primeiro contato com o dr. Nilson, ele nos pareceu um delegado competente e determinado. Nos outros dois ou três, ele não se mostrava tão certo do seu "destino histórico". No último, reclamava do isolamento a que está confinado pelo secretário de Segurança do Acre. Antes, quando Nilson não telefonava até as nove horas, o secretário ligava cobrando delicadamente:

— Você não ligou para saber se eu dormi bem!

A sério, advertia: "O governador me liga todo dia cobrando, e o que eu tenho para transmitir é o que você me diz".

Há pelo menos um mês, o telefone da Secretaria de Segurança de Rio Branco não funciona na direção de Xapuri.

Da nossa mesa continuávamos ouvindo a gargalhada de João Branco. Algumas semanas depois, nos lembraríamos dela. Um dirigente da UDR avisara:

— João Branco aprontou mais uma confusão; dessa vez contra o filme sobre Chico Mendes.

Branco estava disposto a entrar na Justiça para garantir para si o papel de João Branco. Alegação: não há ator no mundo capaz de imitar a sua gargalhada. De fato, é uma gargalhada que... bem, se o cinema vai ter dificuldade de reproduzi-la, que dirá um jornal. De qualquer maneira, é uma gargalhada enigmática: por falta de investigação, fica-se sem saber se é gargalhada de um inocente ou de quem está debochando da Justiça, que em lugar de procurá-lo vai ser procurada por ele.

As duas viúvas

Xapuri acorda cedo. Às seis horas da manhã, quando um nevoeiro mais próprio das cidades serranas ainda a envolve, para ser substituído duas horas depois por um sol escaldante, ela é agitada, se assim se pode dizer, por um bucólico movimento. Entre seis e sete horas, todo mundo que tinha que sair já saiu de casa, de preferência de bicicleta. É o momento em que parte o primeiro dos dois únicos ônibus diários para Rio Branco e em que as pessoas se cruzam nas ruas com o pão debaixo do braço, se cumprimentam e às vezes param para comentar as notícias do dia, que, pela TV, aqui chegam, como já se disse, com duas horas de antecedência.

É também o grande momento cívico. Às sete horas, religiosamente, o tenente Célio, comandante da PM local, reúne os seus 25 subordinados para fazer uma edificante preleção e para hastear as bandeiras do Brasil e do Acre — um lábaro estrelado por uma solitária estrela vermelha, símbolo do sangue derramado pelos seringueiros que, comandados por Plácido de Castro, retiraram pelas armas os valiosos 15 milhões de hectares acreanos das mãos dos bolivianos, seus donos legais até pelo menos 1903.

Antes de Chico Mendes, Plácido era o maior herói da cidade — e de todo o estado. Por que Xapuri não se chama Plácido de Castro, eis uma imperdoável injustiça aos dois.

Foi aqui, na madrugada de 6 de agosto de 1903, que esse caudilho gaúcho proclamou o Estado Independente do Acre, contra a vontade do governo central e contra os interesses norte-americanos. Depois de ler nos jornais o teor do contrato firmado entre a Bolívia e o Bolivian Syndicate, colocando nas mãos dos Estados Unidos a soberania do país e, por tabela, a do Brasil, Plácido não teve dúvida: fez a sua revolução anti-imperialista.

Às quatro horas da manhã, desembarcou com seus homens, seringueiros cearenses aqui instalados, para tomar de assalto a Intendência boliviana.

O rio Acre em Xapuri é tão indolente que em alguns trechos, certamente por preguiça, ele nem se dá ao trabalho de indicar se está descendo ou subindo. Pode-se imaginar a impaciência do impetuoso Plácido naquela madrugada, quando prudentemente suspendeu os remos para não chamar a atenção e deixou que sua embarcação deslizasse lentamente por aqueles quatro quilômetros. Quando desembarcou e chamou pelo intendente Juan de Diós Barravento, que ia comandar as comemorações pela independência da Bolívia, este achou que alguém o estava acordando cedo demais e irritou-se:

— Es mui temprano para la fiesta!

Bom de briga e de frase, o conterrâneo de Leonel Brizola coloriu sua gauchada:

— Não é festa, senhor intendente, é Revolução!

A frequência com que aqui se conta esse diálogo é semelhante à com que os habitantes, principalmente os seringueiros, se apresentam como sobrinhos ou netos dos soldados de Plácido.

É um exagero que revela o quanto esse povo inculto cultua sua história e venera seus heróis. Xapuri, coisa rara no Brasil, tem memória, e já se pode prever o que acontecerá com Chico Mendes.

— Chico Mendes hoje está sendo beatificado; amanhã será santificado — nos havia dito ironicamente o empresário Luís Tavares em Rio Branco.

Está sendo mais rápido do que ele pensa. Nas paredes de muitos bares de Xapuri ainda há um cartaz com a imagem de São Sebastião anunciando os festejos do padroeiro da cidade, que divide com o Rio de Janeiro esse privilégio. Como legenda, duas frases de Chico Mendes: "Lutarei até as últimas consequências para defender a floresta" e "Quero viver para defender a Amazônia". Embaixo: "Pague sua promessa, faça sua devoção".

Falar com a viúva do novo mártir sozinha é muito difícil, não tanto pelo segurança que a protege 24 horas por dia. Pela porta sempre aberta das seis, sete horas da manhã, até nove, dez horas da noite, passam vizinhos, seringueiros, jornalistas, ambientalistas, produtores e diretores de cinema.

— Já foi muito pior. Durante o Encontro eu não tinha sossego — diz Ilzamar.

De fato, na primeira vez que havíamos marcado entrevista com ela em Xapuri, porque em Rio Branco era quase preciso entrar na fila, perdêramos a viagem por alguns minutos. Um avião chegara pouco antes com a missão de levá-la. Era indispensável sua presença no Segundo Encontro dos Seringueiros e Primeiro dos Povos da Floresta para ver projeção de filmes, discutir com os gringos, conversar com a comissão que está selecionando as propostas de filmagem da vida do líder seringueiro, enfim, falar com Deus e todo mundo.

A entrevista entre seis e sete da manhã tinha a vantagem adicional, segundo ela, de encontrar os filhos dormindo, principalmente Elenira, uma menina de quatro anos visivelmente carente e traumatizada que solicita a mãe incessantemente. Ela talvez tenha sido a última preocupação do pai. Ilzamar não tem dúvida hoje de que, entre o sangue que escorria de sua boca, os lábios de Chico pronunciaram, já sem som, a palavra Elenira, olhando para a mulher.

Sandino não, Sandino é uma miniatura de Chico Mendes. Pelo sorriso, pela doçura, até pela barriguinha empinada, ele é, segundo familiares e amigos, a cara saudável do pai sem bigode.

Para os amigos e até para alguns adversários, Chico era um sedutor. As lembranças, quando conseguem ultrapassar as interjeições e exclamações que pouco informam — "Ele era fantástico!", "Era incrível!", "Ah, que homem!" —, revelam uma constante não muito comum nas esquerdas. Antes de conquistar as pessoas pelas ideias e projetos, Chico Mendes já havia feito a conquista pela alegria e pelo afeto — pelo coração.

Às 6h30 daquela manhã, 2 de abril de 1989, não era uma simples criança de dois anos que me pegava pela mão e me convidava a entrar: "Vem cá, mamãe tá lá". Por força de um milagre genético, era o próprio Chico Mendes.

Ilzamar é daquelas pessoas a quem as fotos em geral fazem injustiça. Alguma coisa nela dava a absurda ilusão de que ali estava o resultado de três reinos: animal, vegetal e mineral. A pele é provavelmente de bronze. O corpo tem a concisão de uma seringueira e a carne, a carne deve ter a consistência da borracha. Os cabelos são negros como José de Alencar, por não conhecer Ilzamar, achava que eram os de Iracema. Essa visão desperta uma dúvida:

— Será que Sônia Braga vai dar conta desse personagem?

Pelo porte, e com um rápido banho de loja, Ilza pode frequentar qualquer salão chique. Pela fala, pode ser denunciada por transgressões gramaticais muito frequentes aqui, do tipo "ela *veve* ali", "o pessoal *foram*". Mas pelo que fala e pensa, pode ser jogada não importa em que corte, como aliás já foi. O nosso correspondente em Washington, Manoel Francisco Brito, descreveu há tempos no JB como essa mulher que não conhecia elevador, neon, bidê, telefone sem fio, arranha-céu, não se deslumbrou com nada disso e deslumbrou a elite americana com sua sensatez. Ilzamar não tem, como em geral não têm os seringueiros, excedente cultural, isto é, aquela gordura que produz muito brilho e pouca utilidade. Ela sabe o que precisa saber e intui o que racionalmente não sabe.

A mudança operada em sua vida e em sua cabeça nos últimos quatro meses só tem paralelo com outra ocorrida em 1977, quando no Seringal Santa Fé conheceu um seringueiro que a ensinou a escrever, a ler e a descobrir um pouco do mundo aqui de fora. Vinte anos mais velho, o professor deu àquela menina uma abertura de cabeça que lhe é útil até hoje. "Eu não sabia nem do A. Foi ele que me ensinou o ABC." O professor arranjou uma cartilha não se sabe como e abriu uma escolinha para Ilzamar e dois irmãos. "Antes de sair para cortar, ele dava uma lição pra gente", lembra a ex-aluna. "Depois ele vinha, dava outra lição e voltava pra mata pra colher." O curso durou dois anos e, quando o professor partiu, a desolação foi geral. "Quando ele foi embora, eu e meus irmãos, todo mundo chorou."

Chico Mendes estava na verdade reproduzindo ali o que ocorrera com ele catorze anos antes, em 1963, quando um fugitivo da Coluna Prestes apareceu pela mata e resolveu alfabetizar o jovem de dezoito anos.

Com o guerrilheiro Euclides Fernandes Távora, Chico aprendeu a ler em jornais — o que talvez explique um pouco a importância que sempre deu à imprensa — e recolheu elementos para compreender o país e a condição dos seringueiros. Uma das principais lições que Távora lhe passou foi uma de Lênin no sentido de que a luta dos trabalhadores deve ser através dos sindicatos, em qualquer circunstância: "Lênin sempre pregou que não se pode deixar de entrar num sindicato porque ele é pelego", ensinava-lhe o mestre.

De todas as lições marxistas, porém, a que constituiu o maior legado do doce Chico parece ter sido a de Che Guevara: "Endurecer, mas sem perder a ternura jamais".

Quando Távora sumiu do seringal para nunca mais ser achado, deixou um líder quase pronto. Era o ano de 1965 e o curso, que custava ao aluno caminhadas de seis horas aos sábados e domingos, estava terminado. O golpe de 64 Chico acompanhou por um rádio que seu professor conseguiu levar para a selva. Ouvia os programas da Voz da América, da Central de Moscou e da BBC de Londres. Como pelo menos os dois primeiros apresentavam versões conflitantes — um falava em vitória da democracia e o outro num golpe financiado pela CIA —, aquele ouvinte atento perdido na selva amazônica acostumou-se a tirar suas conclusões depois de ouvir as divergências. Essa saudável mania ele manteve até a morte.

Uma vez, estando no Rio de Janeiro, observou que havia uma disputa entre o PT e o PV para cooptá-lo. Fez então um debate na ABI, juntando o PT, o PV, o PSB e o PCB. Ele mesmo contaria mais tarde — na sua mais completa entrevista, "O testamento do homem da floresta, Chico por ele mesmo", organizada por Cândido Grzybowiski — como se saiu daquele tiroteio: "Aí fiz o seguinte: visitei políticos do PT, do PCB, o pessoal do PV, do PSB, o Saturnino Braga...". Enfim, transou com todo mundo, porque ele achava que o seu movimento deveria ser suprapartidário e, ainda que ele mesmo pertencesse aos quadros do PT, não queria que o partido do seu amigo Lula tivesse a hegemonia no Conselho Nacional dos Seringueiros.

Embora Ilzamar não tivesse sido uma militante, ela aprendeu com o antigo professor — que só voltou a ver quando já tinha dezessete anos, para se casarem depois de dois anos de namoro — várias lições, entre as quais a de ouvir. Assediada nos últimos meses pelas mais tentadoras propostas, ela se limita a ouvir. Mas quando acha indispensável reagir, dá o bote certeiro, como no caso famoso do jornalista americano que se apresentou como candidato a roteirista do filme sobre o líder seringueiro.

— Você conheceu o Chico?

— Não, mas...

— Então como é que quer fazer o roteiro?

No Encontro, um outro repórter americano se apresentou com a ordem do seu jornal de entrevistá-la naquele dia. A resposta:

— Hoje *num* tô com vontade de falar.

Os argumentos de seus companheiros de que se tratava de um grande jornal americano não a demoveram.

Há quem ache que Ilzamar corre o risco de ser manobrada pelos que cercavam Chico Mendes. É possível, mas é possível também que já tenha surgido uma "Nova Ilzamar". Uma coisa é certa, como se verá: a dócil esposa de Chico não é mais aquela.

Como quase todo brasileiro, Chico Mendes era machista; como todo machista inteligente, ele dissimulava o preconceito. Mas hoje não é fácil descobrir isso. A própria Ilzamar tem dois discursos a respeito. Nas várias conversas que tivemos, ela passou a imagem de que Chico era o pai, o esposo e o amante perfeitos. Não que ela tenha desmentido isso, mas sua visão do marido é, na verdade, menos estereotipada, mais humanizada — ainda bem.

Numa entrevista a um grupo de três mulheres ligadas ao movimento feminista no Acre — cuja fita me foi cedida e é mais reveladora do que todas as que gravei com ela —, a "Nova Ilzamar" mostrou com sinceridade que os heróis também são gente e como a relação do casal se baseava numa concepção arcaica de papéis: o homem como dono da vontade da casa e a mulher obedecendo.

"Ilzamar nunca militou", reclamam hoje muitas ex-companheiras políticas do líder seringueiro. Elas se queixam da inconveniência com que Chico era muitas vezes interrompido em suas reuniões políticas para atender a mulher com problemas de dinheiro, de compras, enfim, problemas caseiros. Pelo menos a uma delas ele teria dito: "Não dei sorte com mulher; nenhuma das duas se interessou pelo meu trabalho".

Meio brincando, certa vez uma lhe disse: "Dá um estofado e uma televisão para a Ilza deixar de te encher o saco, Chico!". Não se sabe se alguma chegou a dizer o que talvez fosse o sonho de todas um dia: "Em vez de casar com ela, por que você não se casou comigo?".

Ilzamar era, assim, uma chata, como aliás toda mulher de líder que não o acompanha — pelo menos na opinião das que o acompanham mas não são suas mulheres.

"O Chico era ótimo, um bom esposo, bom pai, não deixava faltar nada, mas não me dava espaço", confessou Ilza para suas entrevistadoras — a antropóloga Jane Villas Boas e as jornalistas Nena Mubárac e Concita Maia. "Antes, a minha luta mesmo era cuidar da cozinha e dos meus filhos, mas eu tinha vontade de entrar no movimento das mulheres e no sindicato."

Chico usava aquele macete muito conhecido. Não proibia, claro, mas fazia a chantagem dos filhos. "Ele achava que eu devia só cuidar dos filhos. Como ele era muito apegado aos filhos, ele achava que, se outra pessoa que não eu fosse cuidar das crianças, elas iam sofrer. Ele achava que eu, como mãe, devia cuidar só dos nossos filhos, da roupa dele, da casa e da comida, e essa era a minha vida. Eu ficava louca de entrar no movimento, de ir a um empate* com o Chico, de ficar sofrendo com as companheiras e os companheiros do seringal, na mata, mas eu não tinha esse espaço."

Ilzamar fala tudo isso sem ressentimento. Rancor mesmo — ou melhor, "revolta" — ela tem de alguns companheiros do marido que antes, quando iam à sua casa para reuniões políticas, mal olhavam para ela, e agora não fazem outra coisa.

"Eu era apresentada — 'essa aqui é minha esposa' — e pronto; na saída, tchau, e todo mundo ia embora e eu ficava na cozinha."

Esses companheiros talvez sejam os mesmos que hoje fazem insinuações maldosas: "Se converso com um, falam que estou namorando, que estou com caso. Aliás, tem gente que diz que eu tinha caso antes do Chico morrer!".

Revoltada, Ilzamar rejeita essa imagem, porque injusta, mas também recusa a oposta, a de uma possível mater dolorosa: "Eu não vou dizer que toda a vida vou ficar viúva; eu tenho 24 anos!".

Ilza não esconde que se sentiu usada, mas que reagiu e não aceita mais. Para quem acredita que ainda a pode manipular, um aviso: "Antes eu não caminhava, o Chico é quem me levava. Mas agora, de repente, eu tenho que caminhar com meus pés".

A três horas de barco da casa de Ilzamar no centro de Xapuri, mora d. Eunice Feitosa, 36 anos, seis filhos. Ao contrário do que fizeram com Ilzamar, os produtores americanos não procu-

* Estratégia que consiste em reunir um grupo de cem a duzentas pessoas (homens, mulheres e crianças) numa área condenada a virar pasto para gado. O cordão humano impede o desmatamento e mantém vivas as árvores, de onde as famílias tiram o seu sustento. Chico Mendes liderou vários empates nos seringais de Xapuri e os tornou nacionalmente conhecidos.

raram d. Eunice, nem eles, nem ninguém, pelo menos até o dia 10 de abril de 1989.

D. Eunice é a primeira mulher de Chico Mendes, com quem viveu de 1969 a 1971 e teve duas filhas: uma que morreu, e a outra, Ângela Maria, de dezenove anos, que mora em Rio Branco. Eunice vive no Seringal Nova Esperança, Colocação* Isaura, com Antônio Cabral da Silva.

Quando d. Eunice chegou para a entrevista, chamada por um dos filhos lá no paiol, e se sentou a meu lado, tive a impressão de estar diante de algo apenas um pouco mais do que um animalzinho inofensivo — acuado, em pânico. As primeiras perguntas ela não conseguia responder. Tentava, obediente, mas as palavras não saíam. Foi preciso dar algum tempo.

— Dona Eunice, a senhora entrou na Justiça para participar dos direitos do filme, não é?

— Tá.

— A senhora acha que tem direito a quê?

— [longo silêncio]

— A senhora era casada com ele?

— Eu era casada com ele.

— Mas a senhora tinha papéis?

— Eu tinha, mas só que ele pegou o papel e não entregou mais.

— A senhora gostava dele?

— Quando eu era casada com ele eu gostava.

— A senhora soube da morte dele como?

* Pequena clareira na floresta onde os seringueiros vivem e trabalham na extração do látex, na coleta de castanha e no plantio de agricultura de subsistência. É a "unidade produtiva" dos seringueiros.

— Quando aconteceu nós *fumo* pra lá, pro Xapuri.
— A senhora esperava?
— Esperava, eu ouvia o pessoal falar, né.
— Como a senhora vive?
— Eu? Eu trabalho no roçado.
— E dá pra viver?
— Tem que dar, né.
— A senhora vive com quem?
— Com aquele homem ali, moro com ele.
— E a senhora acha que vai ganhar isso na Justiça?
— Não sei, né.
— Mas se ganhar vai ser bom, né?
— É, se ganhar vai ser bom.
— A senhora sabe quanto é?
— Sei não.
— A senhora já foi lá dar depoimento, falar?
— Já falei tudo lá.
— Foi o advogado que procurou a senhora?
— Foi o *adevogado.*
— Como é que ele se chama?
— Valladão, doutor Valladão.
— A senhora conhecia ele?
— Não, senhor.
— Ele veio aqui?
— Não, eu fui lá conversar com ele.
— Mas quem procurou: a senhora ou ele?
— Eu que *percurei.*
— Mas a senhora acabou de dizer que ele é que tinha procurado!
— Não, eu é que *percurei* conversar com ele.
— Por quê? Alguém disse que a senhora devia ir?
— É.

— Quem?

— ...

— A senhora é casada com seu Antônio?

— Não, eu moro só com ele. Eu era casada com Chico Mendes, civil e católico, dois casamentos.

— A senhora tá com esperança de receber?

— Eu tô querendo receber, né. *Num* fui eu que dei motivo para ele me largar, foi ele mesmo. Se ele *num* tivesse dado motivo, ainda hoje nós *vivia*. *Num* vivia porque ele tinha morrido.

— Como é que o papel desapareceu?

— Desapareceu de lá porque a certidão mesmo ele tinha pegado. Me pediu pra tirar um documento dele, depois me entregava de volta, né.

— Isso quando, faz muito tempo?

— Ih, tá com uns quinze anos, mais ou menos. Então, eu mandei pedir outra vez, então ele mandou dizer que *num* entregava não. Aí também *num percurei* mais, ele falou que *num* entregava mais. Aí, quando ele morreu, com sete dias, com oito dias, eu já no Xapuri, eu fui no Fórum *percurar. Percuremo* e *num achemo* de jeito nenhum.

— Com o advogado?

— Fui com ele lá, também *num* encontrou, encontrou só aquele livrinho, o índice.

— Na página não tinha?

— Não, ele arrancou, só pode ter sido ele que arrancou.

— Quem casou a senhora no católico?

— Padre José.

— Padre José de quê? Onde ele está?

— *Num* sei, ele tá em Rio Branco.

— Ele vai ser chamado como testemunha?

— Deve chamar, né. Ele pode dar testemunho porque foi ele que fez o casamento. Eu acho que ele ainda tá lembrado.

— Quanto é que o advogado vai cobrar?

— Ele falou que vai cobrar pouco porque eu *num* posso pagar.

— Não falou quanto?

— *Num* falou quanto.

Acabada a entrevista, seu Antônio me chamou para ver a casa de farinha e o paiol, onde havia dezenas de espigas de milho empilhadas como se empilham garrafas. Aos quarenta anos, parecia muito mais velho. Ele tem o braço direito paralisado por causa de uma injeção, e um pouco mais de malícia do que a mulher. Me chamara ali para o que só muito vagamente percebi ser uma reclamação. D. Eunice não podia dar entrevista, o dr. Valladão recomendara muito: "Se aparecer jornalista, dá o meu cartão e diz pra me procurar". Eles haviam confundido o jornalista: com bolsa, máquina, gravador, óculos, acharam que era um marreteiro, aqueles vendedores que percorrem a floresta pelos rios. Além do mais — ele é que estava me pedindo desculpas —, d. Eunice não sabia de nada:

— O senhor compreende, ela é muito boba.

Nesse momento, peguei os quatro pacotes grandes de biscoito, a lata de sardinha, a de salsicha, as garrafas d'água, enfim, todos os mantimentos para cerca de seis horas de expedição, dei tudo para as cinco crianças em volta, que vibraram como se fosse uma loteria. Quem não achou muita graça foi seu Carlos Freire, o barqueiro.

Quando voltei à casa para me despedir, depois desse gesto que parecia de caridade, mas na verdade era de expiação, d. Eunice tomou pela primeira vez a iniciativa da palavra:

— O senhor tá vexado?

Quis responder que estava vexadíssimo, morrendo de vergonha, mas a pergunta não significava o que significa para nós do

Sul. D. Eunice, coitada, não era capaz de uma ironia. Notando minha indecisão, seu Carlos veio em socorro:

— Ele tá sim, Eunice, porque ainda vai hoje para Rio Branco.

Compreendi então que ela quis dizer mais ou menos isso: "O senhor está com pressa? Fica mais um pouco".

Aquela mulher outrora bonita, talvez, que não conseguia mais rir, estava agradecida pelo presente aos filhos — e eu arrasado de culpa. Tinha invadido uma choupana e extorquido coisas que não tinha o direito de retirar daquela alma pura e daquela casa ingênua onde a malícia não costuma entrar. Naquela hora, eu dava tudo para ser um marreteiro.

Na volta, separado do barqueiro por sete metros, a distância que vai da proa à popa, não podendo conversar por causa do barulho do motor, sem quase poder me mexer para não desestabilizar uma canoa que na parte mais larga tem um metro, sem biscoito e sem água, aplaquei todas as minhas fomes e sedes, inclusive de justiça, pensando que pior tinham feito os companheiros de Xapuri. Por que não ampararam essa mulher? Por que não deram a ela a assistência que deram à Ilzamar? O que adianta dizer agora que ela está sendo manipulada por advogados da UDR, como se escreveu tanto? Além de não adiantar nada, não é verdade, como não foi difícil apurar depois.

D. Eunice, depois do enterro de Chico Mendes, fora ao cartório em busca de sua certidão de casamento para pleitear uma pensão pelo Funrural. Quando o escrivão constatou que a folha correspondente tinha sido arrancada, encaminhou-a à defensora pública.

Quem informa agora é o dr. Norival Camargo Valladão, um contador de setenta anos que aos 64 resolveu também ser advogado, o único de Xapuri:

— Não sei por que a defensora pública, doutora Teresa, esquivou-se de atender a dona Eunice e empurrou pra mim a cliente, que se apresentou e me perguntou: "O senhor faz de graça?".

O dr. Valladão respondeu que de "maneira nenhuma". Mas como sua cliente não pudesse pagar nada, propôs então que, se e quando ela recebesse a pensão, lhe daria em pagamento as duas primeiras parcelas.

Tempos depois, já com o processo de aposentadoria em andamento e com as milionárias notícias sobre o filme de Chico Mendes, d. Eunice voltou ao dr. Valladão. Alguém lhe dissera que ela poderia ganhar muito mais do que uma simples pensão do Funrural.

— Então eu me informei — conta Valladão — e tomei conhecimento de que naquele bolo ia haver dinheiro comprido.

D. Eunice então perguntou se ele continuaria como seu advogado.

— Se eu já ia ser por uma insignificância apenas para atender a senhora! — não hesitou.

O advogado está convencido de que vai "restaurar o casamento original", conseguindo com isso, ele espera, anular o casamento de Ilzamar e ganhar as duas causas de d. Eunice: a pensão do Funrural e a participação no espólio de Chico Mendes.

Ele mostra a fotocópia do índice do livro de registro, onde consta, na letra F, que Francisco Alves Mendes Filho e Eunice Feitosa de Meneses se casaram no dia 7 de fevereiro de 1969, conforme registro na folha 159, do livro 1, sob o nº 312.

— Mas o senhor é advogado da UDR.

O dr. Valladão quase se exalta, explica que como advogado defende qualquer um, mas o seu argumento mais forte é o seguinte: "Sou advogado de todo mundo e o próprio Chico Mendes foi meu cliente duas vezes".

Pelo menos uma dessas vezes ele consegue provar. Pede ao filho que pegue no arquivo uma pasta e retira dela uma procuração do dia 15 de fevereiro de 1985, assinada por Francisco Alves Mendes Filho, dando ao advogado poderes para processar por difamação — processo 5187 — o então candidato a prefeito de Xapuri Vanderley Vianna de Lima, que acusara Chico de ter recebido, da Fazenda Bordon, 5 milhões de cruzeiros e passagens para uma viagem de ida e volta a São Paulo.

Descendo o lerdo e barrento rio Acre naquela tarde cheia de sol e mosquitos, eu continuava admirando Chico Mendes, mantinha minha simpatia por Ilzamar, mas torcia por d. Eunice. Torcia para ela ganhar a causa e uma grande intérprete no filme.

Eu voto em Betty Faria.

Aos 78 anos, o padre José Maria Carneiro de Lima, que diz ser considerado "doido", não deverá trazer grandes esclarecimentos ao processo de d. Eunice. Ele simplesmente não se lembra se casou Chico Mendes, embora se declare seu amigo desde criança. "No todo eu casei umas dez mil pessoas no Acre, como é que eu vou me lembrar? Vá ao Fórum de Xapuri e consulte o livro." Padre José garante que conheceu três papas, estudou catorze línguas, fala "umas sete" e tirou os cursos de "aeronáutica, medicina, mecânica, radioeletricidade, zoologia, etnologia, antropologia e botânica". Apesar da batina, padre José não oficia mais: "Por causa da Teologia da Libertação".

Outro marcado para morrer

Para cada líder do Movimento, há um seringueiro de plantão. Ilzamar tem o seu segurança permanente, o ex-padre Gílson Pescador também, Raimundo de Barros dispensa o seu para ir ao seringal, nove horas de caminhada a pé, mas ele então vai escondido, de madrugada, sem avisar ninguém. Todos, lembrando-se de Chico Mendes, preferem ser protegidos por seringueiros.

— Enquanto Chico foi guardado pelos companheiros, ele estava seguro — diz Ilzamar.

Osmarino Amâncio tem três seguranças — os soldados da PM R. César, Osmar e Leitão —, mas em menos de um mês sofreu dois atentados.

Uma noite, depois de ouvir muitas perguntas, o governador Flaviano Melo resolveu fazer uma:

— Agora, com sinceridade, você acha que há aqui o clima que vocês noticiam lá no Sul?

Para quem saíra de uma cidade onde só naquela semana os jornais haviam noticiado cerca de cem homicídios, responder que sim seria hipocrisia. Xapuri, aparentemente, não ameaça tanto quanto o Rio de Janeiro a qualquer hora, em qualquer lugar.

— Não se iluda, Xapuri é um caldeirão — advertira antes a dra. Denise Carla Bernardo Peixoto, que, junto com o marido, dr. Gwyer, são os únicos médicos da cidade. Niteroiense há quatro anos em Xapuri, Denise foi quem, de bicicleta, correu no dia do crime para atender Chico Mendes, de quem não chegava a ser amiga, mas admiradora.

— O Chico é quem segurava a multidão — diz Denise, 32 anos, mãe de três filhos, e já com vontade de deixar Xapuri. Um certo radicalismo de parte da militância local a preocupa.

— Temo que isto se transforme num faroeste.

A explicação que me deram para que esse clima não seja tão visível é que os crimes são seletivos. Não se mata a torto e a direito como no Rio. Só se matam lideranças de seringueiros. Mas o problema é que as ameaças não são intimidações, são promessas que se cumprem. Junto à sepultura de Chico Mendes, por exemplo, há três outros corpos de companheiros assassinados recentemente.

Osmarino, agora o alvo principal, diz:

— Eu sei que eles vão conseguir. Já tentaram na minha casa cinco vezes, só depois da morte do Chico. Eu tenho levado sorte.

Com 31 anos, solteiro, menos duro do que se diz, Osmarino é dirigente sindical em Brasileia e secretário do Conselho Nacional dos Seringueiros. Esta entrevista ele deu seis dias depois do penúltimo atentado, numa Chevrolet D-20, no banco de trás, espremido entre os três seguranças, a caminho de Brasileia.

— Quem ameaça você?

— Se me matarem, não vou culpar só a UDR. A maior parte de culpa cabe ao presidente da República, ao Romeu Tuma, ao ministro da Justiça, ao governador do estado. Eles são os maiores culpados, se não os únicos.

— Que Deus nos livre, mas se você for assassinado, que pistas deixaria para se descobrir os assassinos?

— Há várias pistas, um grupo está ligado ao outro. Há o grupo do Aragão, o grupo do próprio Flaviano, o João Branco está articulando, há o deputado João Tesa, todos muito preocupados. Eles viram que, mesmo com a morte de Chico, o movimento não perdeu o equilíbrio. Vai ser difícil provar isso porque o Chico não gravou a conversa, mas ele teve um contato com o general Bayma Denis, do Conselho de Segurança Nacional, só os dois. Ele mandou chamar o Chico, fez propostas de recursos: eles tentavam de todas as formas que a nossa luta não fosse pra frente.

— Qual seria o objetivo maior de tudo isso?

— Eles sabiam que, com o prestígio que o Chico estava tendo aqui na região, ele ameaçava desmoronar os políticos. Eles não têm propostas para resolver o problema dos trabalhadores da nossa região, não têm proposta de reforma agrária. Eles sabem perfeitamente que, se o Chico chegasse ao governo do estado, a situação aqui mudaria completamente na questão dos conflitos de terra. Nós temos certeza que a gente ia ter condições de amenizar setenta por cento desses conflitos.

— Como estão as investigações?

— As autoridades não estão interessadas em pegar ninguém. O governo não nomeia promotor, o inquérito das denúncias que eu fiz tem trinta dias de prazo. Passaram-se os trinta dias, não houve renovação por falta de promotor. O primeiro processo já prescreveu.

— E esses seguranças?

— As pessoas pensam que é brincadeira, mas a gente, que está sendo alvo, perseguido, sabe da situação. É muito difícil. Por exemplo: esses seguranças que andam comigo são pessoas em quem eu confio, mas andam apenas com revólveres trinta e oito. Por que o governo não fornece metralhadoras?

— A polícia o que diz?

— Eles tentaram me fazer assinar um documento me comprometendo a não me expor em público. Eu sou um dirigente sindical, vem aí o período de empate, tenho que viajar, correr seringais, não tem sentido eu me esconder. Eu já me considero um prisioneiro, sem privacidade, no meio desses seguranças dia e noite.

— E sua família?

— Meu pai é mais seguro, firme, é um seringueiro, mas minha mãe não dorme. Eu saio, ela chora, eu chego, ela chora.

— Onde você nasceu?

— No Seringal Bela Flor, Colocação Revolta.

— Será que tem a ver com sua imagem de revoltado, esquerdista?

— O pessoal é que diz que combina, que eu sou revoltado. Você já viu alguém ficar pacífico quando é despojado de sua casa, quando é ameaçado de perder o seu lar? Se chegarem à casa do governador e expulsarem, ele será um revoltado. É o que acontece com o homem da Amazônia: o seringueiro, o índio. Ele não é revoltado, ele quer defender o seu lugar para morar. Por exemplo: o seringal do meu pai, nós perdemos, foi loteado por conflitos de terra.

— Como é o verdadeiro Osmarino?

— Eu gosto muito de curtir, de ir a festas, de dançar. Eu passei muitos anos sem dançar. Só agora, no final do Encontro dos Povos da Floresta, é que eu dancei. Adoro jogar bola, mas há mais de três anos que não pego em bola. Hoje eu tô reprimido, não porque eu queira, sou contra qualquer repressão.

— Inclusive contra o inimigo?

— Eu respeito até o inimigo. Fala em repressão — sexual, sentimental, política — eu sou contra. Você tem que ser rígido, cauteloso, mas não tem que usar de violência simplesmente porque o cara tem uma doutrina contrária. Se um pistoleiro tenta me matar, eu jamais vou ter coragem de reprimir. Na hora posso fazer alguma coisa para me defender, mas não guardo raiva.

— Como é que você consegue namorar?

— Eu tinha uma namorada, a gente se curtia muito, mas um dia ela me disse: "Eu quero casar com você, mas você tem que largar tudo isso". Ela não participa, não tem muita consciência da luta. Eu só fiz rir. Fiquei rindo e a gente terminou.

— Mas de vez em quando não dá vontade de largar tudo?

— Pelos compromissos que a gente assume, pela consciência, não dá. Hoje, por exemplo, tenho consciência de que, mesmo que eu me afaste dessa luta, eles não vão nunca acreditar que me afastei. Então, não tem diferença. Além do mais, se eu me afastar da luta vou ser considerado "morto" pelos companheiros, como outras pessoas que se venderam. A situação do dirigente sindical aqui é difícil: se ele quiser se afastar, ele é repudiado; se fica ele está arriscado a ser morto pelos fazendeiros. É aquela história: se correr o bicho pega, se ficar o bicho come.

— Como é que você aprendeu essas coisas todas?

— Eu tenho até a terceira série do primário. Quando eu tinha dezesseis anos, o pessoal do movimento me *deram* um papel pra ler numa reunião e eu não sabia. Eu sabia falar, mas não sabia ler. Eu gaguejava, as pernas tremiam! Daí pra frente, todo papel que eu pegava, podia ter o que tivesse, eu tentava, por conta própria: jornal, livro de salmo, Bíblia. Aí fui indo, hoje eu leio tranquilo, não tenho mais nervoso de ler.

— Quais são suas admirações? O que você lê?

— Eu leio pouco. O primeiro livro que li foi sobre a Domitila Barrios, *Se me deixam falar*. Tenho uma grande admiração por ela, por ser uma mulher que liderou cinco mil pessoas na Bolívia. Li muito nos jornais sobre o pessoal da Nicarágua, tenho uma admiração muito grande. Admiro o Lênin, li *Os dez dias que abalaram o mundo. As veias abertas da América Latina*, do Eduardo Galeano, também foi muito bom para mim. Foi muito importante pra mim o *Brasil: nunca mais*. Tenho também uma admiração muito grande pelo Henfil, li todinho o *Henfil na China*.*

— E cinema?

— Fui só quatro vezes ao cinema. Vi (rindo) *Garganta profunda*, *Dona Flor e seus dois maridos*, um filme de Kung Fu e um outro chamado... não me lembro.

— Você vê televisão?

— Eu não assisto, mas curto a Lucélia Santos, a primeira atriz que eu admirei assistindo à novela *Escrava Isaura*.

— Você não tem medo?

— Olha, a gente tem uns sustos de vez em quando. A gente se assusta. Nessa viagem, por exemplo. Daqui até Brasileia é minado. A qualquer momento posso levar uma rajada de bala. Mas eu tenho que chegar a Brasileia, o pessoal *tão* me esperando.

— Como foi o atentado?

— (Rindo) Você não quis ficar, perdeu.

* *Se me deixam falar* foi escrito pela educadora brasileira Moema Viezzer a partir de entrevistas com a índia e líder popular boliviana Domitila Barrios de Chungara. Lançado em 1980, foi traduzido em 38 países. *Os dez dias que abalaram o mundo* é um relato do jornalista americano John Reed sobre os primeiros dias da Revolução Russa de 1917. *As veias abertas da América Latina* aborda a história do continente ressaltando as formas de expropriação e exploração de suas populações. O livro, do jornalista uruguaio Eduardo Galeano, se tornou uma bíblia da esquerda brasileira nos anos 1970 e 1980. *Brasil: nunca mais* foi lançado em 1985 e registra o minucioso levantamento coordenado pela Arquidiocese de São Paulo dos nomes de pessoas que torturaram e foram torturadas durante o regime militar. O trabalho deu origem aos grupos Tortura Nunca Mais. *Henfil na China, antes da Coca-Cola* (1980) é o diário de bordo da viagem que o cartunista Henfil fez à China, em 1977. Henfil participou ativamente da luta contra a ditadura e da criação do Partido dos Trabalhadores.

De fato, no dia 6 de abril, depois de uma ida a Cobija, na Bolívia, procurei Osmarino para uma entrevista. Quando o encontrei, já eram quatro e meia da tarde e ele tinha que ir ao Fórum. Pediu que o esperasse. Ameaçava chover, o avião em que estava de carona precisava partir e a perspectiva de ficar para ir no dia seguinte de carro, por uma estrada intransitável, me desanimou. Fiz então a última coisa que os manuais de jornalismo recomendam a um repórter fazer: deixar para depois.

— A gente se vê em Xapuri, Osmarino.

Três horas depois, Osmarino sofria o atentado. Quando já em Rio Branco soube que o líder seringueiro saíra ileso, fiquei muito feliz por ele, mas também, por deformação profissional, mais feliz por não ter perdido o que seria sua última entrevista.

Agora, ali, depois de levá-lo até o entroncamento para pegar o ônibus para Brasileia, fotografei-o tomando café, com os seguranças, subindo no ônibus, sentado na cadeira, lendo jornal. Ele percebeu:

— Tá achando que é a última foto, né?

Na semana seguinte, sentado no Casarão — que é o Baixo Gávea, se o Caxinawá for o Baixo Leblon —, vi quando todos os olhares femininos se voltaram numa mesma direção. Era Osmarino entrando, com os cabelos ainda molhados de um banho, camiseta por fora das calças. Foi a uma mesa, tirou uma moça para dançar. Depois outra, depois outra. Dançou cinco vezes. Na última, era um forró — ele ensinou à assistência que essa música, que se julga pobre, pode ter os mesmos passos de um tango bem dançado. Depois sumiu.

Me lembrei de dois carnavais passados, quando na Feijoada do Amaral, no Hippopotamus, todos os olhares femininos se voltaram para uma mesma pessoa entrando — igualmente barbudo, baixo e bonito. Era Robert de Niro.

Não há dúvida: se quiser aprender a dançar o forró, o papel de Osmarino pode ser dele.

Uma das maiores reclamações de Osmarino Amâncio nessa entrevista era a deficiência do armamento usado pelos seus seguranças: "Assim, morre eu e morrem eles".

Essa também é uma das questões que o inquérito sobre o assassinato de Chico Mendes ainda não respondeu: quem mandou trocar as armas da segurança de Chico Mendes?

O tenente Célio, comandante da PM de Xapuri, se faz a pergunta até hoje. Amigo de Chico Mendes, foi levado de carro pelo líder seringueiro até Rio Branco, no dia 24 de novembro de 1988, quando entrou de férias. Ameaçado de ser transferido várias vezes — como aliás está agora —, o oficial transmitiu essa suspeita ao amigo antes de embarcar para Fortaleza:

— Gostaria de cuidar do senhor pessoalmente, mas quando voltar das férias, acho que vou ser transferido.

— Fica tranqüilo, tenente, que enquanto eu for vivo, você não sai de lá — foi o consolo de Chico.

O comandante da PM fazia questão de armar os seguranças de Chico com duas metralhadoras e uma espingarda calibre .12, de seis tiros e grande poder de fogo.

Logo depois do assassinato de Chico Mendes, o tenente leu nos jornais, em Fortaleza, declarações dos soldados reclamando que estavam armados apenas de revólveres, como agora os seguranças de Osmarino.

Não entendeu. Ele gostaria muito de saber quem deu a ordem, isto é, quem mandou afrouxar a segurança.

Aliás, ele e todo mundo.

Onde a justiça custa a chegar

Quando há tempos esteve no programa de Jô Soares, o delegado Romeu Tuma disse que o juiz de Xapuri tinha tanto medo de morrer que mandava cobrir de papel as janelas de sua sala para não ser visto. Tuma estivera cerca de dois minutos com o juiz Adair Longuini e mal pôde conversar sobre o caso Chico Mendes, que viera apurar, mas encontrou tempo para recolher material para uma fofoca.

O papel que se vê na parte de baixo das janelas da sala de audiência do Fórum de Xapuri, isto é, as venezianas, é um recurso barato para impedir a saída do ar refrigerado. Depois da morte de Chico Mendes, Longuini tomara na verdade algumas precauções. Pedira licença para andar armado e conseguira do Tribunal de Justiça um aparelho de ar condicionado, por duas razões: porque o calor ali é insuportável e porque, se mantém as janelas abertas, ele se transforma num alvo imperdível, já que passa a maior parte do dia de costas para uma janela e de perfil para a outra.

Como a cadeira e a mesa estão sobre um estrado, metade do seu corpo fica no nível das janelas. Sua sala dista uns oito metros de um terreno baldio cercado por um muro sobre o qual se pode apoiar o cano de uma espingarda e dormir na mira. Se algum pistoleiro fizer isso, terá condições mais confortáveis do que Darci Alves teve para acertar em Chico Mendes.

Como investigador, Tuma deveria ter observado isso e ter sido mais preciso na sua ironia. Aliás, graça mesmo provoca ainda hoje a lembrança dos homens de Tuma tentando caçar os pistoleiros bloqueando estradas, como se, tendo a floresta, os fugitivos fossem preferir tomar ônibus. A presença da Polícia Federal aqui teve o efeito comparável ao de uma operação que consistisse em levar um grupo de seringueiros para a avenida Presidente Vargas, no Rio de Janeiro, para tentar prender os responsáveis pelo naufrágio do *Bateau Mouche*.

Infelizmente, Tuma e a Polícia Federal nestas regiões não provocam só risos, mas uma grande indignação. Acredita-se, com muita razão, que eles poderiam ter evitado, ou pelo menos dificultado, a morte de Chico Mendes. Nessa fase de inquérito, Tuma deveria estar explicando por que ele e sua polícia no Acre não tomaram certas providências.

Por exemplo: no dia 26 de setembro de 1988, foi expedido um mandado de prisão contra Darly e Alvarino Alves da Silva. No dia seguinte, Chico Mendes foi à sede da Polícia Federal em Rio Branco conversar com o superintendente Mauro Spósito. Ao sair viu que no bar em frente, tomando cerveja, estava justamente Darly. Acompanhado do seu advogado, Genésio Natividade, Chico caminhou uns cem metros, foi ao Pinheiro Palace Hotel e subiu ao quarto de sua amiga Mary Helena Allegretti, de onde telefonou para a Polícia Federal. Quem atendeu o telefone foi o delegado Hildo Reni, substituto de Spósito, que recebeu o aviso de que um dos alvos do mandado estava sentado calmamente ali em frente.

Apesar disso, só dezesseis dias depois e assim mesmo por insistência do juiz de Xapuri, Spósito liberou o mandado. Conclusão: quando foram à casa de Darly, que se vangloriava de ter amigos na Polícia Federal, os dois irmãos, claro, estavam longe.

No dia 28 de outubro de 1988, Chico Mendes enviou uma carta ao superintendente da Polícia Federal no Acre, ao secretário de Segurança, ao governador do estado e ao juiz de Xapuri dando pistas bem precisas sobre reuniões de fazendeiros para tramar a sua morte. Nenhuma resposta ou providência.

Um mês depois, no dia 29 de novembro, Chico enviou três telex: para o governador, para o secretário de Segurança e para Romeu Tuma. Ele denunciava que os pistoleiros Darly e Alvarino continuavam soltos tramando a sua morte e anunciava, com detalhes, que cinco fazendeiros tinham se reunido com a mesma finalidade. Os telex continuam sem resposta até hoje.

No dia 5 de dezembro, dezessete dias antes do crime, outros três telex eram remetidos: para Romeu Tuma, para Paulo Brossard, então ministro da Justiça, e para o presidente José Sarney. A mesma tecla: elementos ligados à UDR estavam tramando a eliminação do líder seringueiro. Igual silêncio.

Nesse mesmo dia 5, o diretor-geral da Polícia Civil do Acre, delegado César Pontes, emitiu um porte de arma em favor de Oloci Alves, filho de Darly, já figurando nos jornais desde o começo do ano como envolvido em crime contra os seringueiros.

Foi também no dia 5 que Chico, ao viajar para Piracicaba, notou a presença no avião de João Branco acompanhado de dois desconhecidos. É ainda deste dia, que por si só constitui um manancial de pistas, a seguinte e impressionante mensagem de despedida de Chico Mendes:

Não quero flores no meu enterro, pois sei que irão arrancá-las da floresta. Quero apenas que o meu assassinato sirva para acabar com a impunidade dos jagunços sob a proteção da Polícia Federal do Acre que, de 1975 para cá, já mataram mais de 50 pessoas como eu, líderes seringueiros empenhados em defender a Floresta Amazônica e fazer dela um exemplo de que é possível progredir sem destruir. Adeus, foi um prazer. Vou para Xapuri ao encontro da morte, pois dela ninguém me livra, tenho certeza. Não sou fatalista, apenas realista. Já denunciei quem quer me matar e nenhuma providência foi ou será tomada. O delegado da Polícia Federal do Acre, Mauro Spósito, me persegue não é de hoje. E não tenho nenhuma dúvida de que os pistoleiros levarão a melhor por um motivo: o delegado mandou cassar meu porte de arma sob a alegação de que tenho ligações com uma entidade "alienígena" e "comunizante". É a Fundação Ford, dos Estados Unidos. Veja só.

Chico, nessa despedida, se referia a uma carta de Spósito publicada em *A Gazeta*, de Rio Branco, negando ter facilitado a fuga dos pistoleiros e lançando uma das mais infamantes acusações ao líder seringueiro: a de colaborador da Polícia Federal.

Quanto ao Sr. Francisco Alves Mendes Filho, foi COLABORADOR desta Regional desde o ano de 1980, prestando informações acerca da área rural, tendo inclusive fornecido dados que possibilitaram identificar organizações clandestinas acobertadas por siglas político-partidárias.

Para comprovar sua acusação, Spósito juntava a carta de um militante de codinome Vítor, do Partido Revolucionário Comunista,* condenando a atitude de Chico de "delação de um

* Grupo clandestino de oposição ao regime militar, tornou-se em 1979 uma facção do PT, fazendo parte dele, no Acre, Marina Silva e Jorge Viana. Hoje o grupo está na corrente Democracia Radical.

companheiro que veio na vontade de ajudar-nos". Vítor seria o economista Reginaldo de Castela, que, como professor do Projeto Seringueiro, aliou-se a um ativista de esquerda uruguaio, que fora tentar organizar no Acre um movimento de guerrilha junto aos seringueiros. Quando descobriu o plano, que parecia mais uma provocação, Chico botou a boca no mundo: avisou a direção do PT, a Igreja, entidades e — temendo como temia as aventuras militaristas — é possível que tenha avisado até a Polícia Federal.

Em sua defesa das acusações do delegado Spósito — que em 79 e 80 comandou "interrogatórios duros por dias inteiros" ao líder sindicalista —, Chico avisou que ia entrar com uma interpelação judicial por calúnia e difamação e chamou a atenção para o que era importante: "Spósito tem que desmentir, se for o caso, os pistoleiros que afirmam para quem quiser ouvir que são amigos dele e seus protegidos".

Diante de tudo isso, é difícil achar graça nas ironias de Romeu Tuma para com um juiz que, Deus sabe como, está procurando desempenhar o seu papel com coragem e dignidade.

— Tenho três filhos e seria uma irresponsabilidade não tomar algumas precauções — diz Adair Longuini.

Que fosse apenas por conforto, o aparelho de ar mais que se justificava. No dia 5 de abril de 1989, por exemplo, ele ainda estava quebrado. Como explicou o juiz, com as oscilações frequentes de energia, os aparelhos passam a maior parte do tempo no conserto.

O conjunto de mesas da sala de audiência do Fórum tem a forma de um T, cujo travessão horizontal fica no plano mais elevado, onde se senta o juiz. A coluna do T é a parte mais baixa da mesa em torno da qual se sentam os réus, as testemunhas e visitantes como Tuma e a gente.

Os ritos simbólicos que marcam a Justiça estão presentes aqui também, nessa modesta sala, indicando que os de baixo devem se sentar e se sentir em nível inferior ao do magistrado. Nessa noite, até os mosquitos respeitavam a divisão de níveis, mas isso porque um pequeno ventilador formava uma corrente de ar sobre o rosto do juiz. Das seis às oito horas, eles estavam particularmente vorazes, talvez porque houvesse no recinto sangue tipo Sul maravilha. Eram muitos e alguns voavam em formação, se desviando da corrente de ar do ventilador, subindo e descendo em rasante, como fazem as esquadrilhas da fumaça.

Havia outros campos de pouso na sala, mas eles atacavam preferencialmente minha careca. Mergulhavam e morriam afogados no suor que minha cabeça produzia como se sua única função agora fosse essa. Eles me picavam e morriam como kamikazes.

Às escondidas, quando o juiz desviava o olhar, eu passava a mão pela testa e a trazia cheia de náufragos. Depois, baixava a mão e limpava na calça. Aquele era um recinto onde não se podia perder a compostura. Os mosquitos, contudo, atacavam a mão, o pescoço, a parte descoberta do braço e até aquela fatia de tornozelo que, sentado, a calça e o tênis não conseguem proteger.

Se fosse réu, para sair dali eu confessaria qualquer crime. Mas aquela audiência informal custara a vinda do jornalista Elson Martins a Xapuri. Não podia pôr a perder um precioso contato que Elson conseguira através do seu amigo, um outro juiz, Arquilau de Castro. Elson foi o fundador do *Varadouro*, um jornal alternativo que existiu em Rio Branco de 1978 a 1981 e que se constituiu, segundo o pessoal do *Pasquim* da época, numa das melhores experiências alternativas do país. Arquilau, o retrato do jornalista Elio Gaspari quando jovem, tinha sido foca do *Varadouro*.

O Acre tem dezenas de bons advogados assediados por causas mais rentáveis do que a dos seringueiros, e Arquilau foi uma exceção. Dele dizia Chico Mendes: "O único advogado de confiança que os trabalhadores tiveram aqui no Acre foi o doutor Arquilau de Castro, que é hoje juiz de direito". Arquilau é concunhado de Adair Longuini.

O juiz Adair Longuini falava, falava e eu sonhava em ser um índio para ficar me estapeando sem cerimônia. O que ele dizia aumentava ainda mais o meu mal-estar. Sem querer, o juiz me convencia de que a Justiça aqui é inviável. As testemunhas morrem de medo, a polícia não tem condições técnicas e materiais de investigar e os promotores praticamente não existem. Como o promotor e o juiz não acompanham a fase inicial do inquérito, as testemunhas dizem uma coisa na delegacia e depois se desdizem em juízo, como o próprio Darci fizera, confessando o crime e depois negando.

O Acre é um estado em que a grande maioria das comarcas não tem representantes do Ministério Público. Xapuri ficou doze anos sem juiz e Brasileia, a 65 quilômetros, dez anos. Me lembrei da visita ao secretário de Segurança, dr. Lourival Marques de Oliveira, da equipe da Ação pela Cidadania — talvez a única iniciativa no sentido de investigar as investigações. Quando o deputado Plínio de Arruda Sampaio pediu-lhe uma relação das pessoas que têm porte de arma no estado, ele respondeu:

— Não tenho nem pra mim.

O mesmo grupo — formado por deputados, procuradores da República e representantes de entidades como a Associação Brasileira de Imprensa (ABI) — foi também ao Tribunal de Justiça e descobriu que existem 892 processos em andamento em Rio Branco, envolvendo crimes dolosos contra a vida. Nos últimos cinco anos, o Tribunal do Júri da capital julgou 126 processos. O pessoal da Ação pela Cidadania fez os cálculos: nesse ritmo, o julgamento desses quase novecentos processos levaria 35 anos. Pior ainda é no município de Sena Madureira, onde seriam precisos setenta anos para resolver os processos em andamento.

O próprio presidente do Tribunal de Justiça, desembargador Wanderley Nonato de Oliveira, admitiu que a situação jurídica no Acre é "precaríssima".

Em Xapuri há uns duzentos processos criminais à espera de parecer do inexistente Ministério Público. Nos fins de semana, Adair Longuini faz como quase todos os seus colegas do interior: pega alguns processos, leva para Rio Branco, entrega à Procuradoria do Ministério Público e depois traz consigo para a comarca.

Para estudar as 152 páginas em cinco volumes do processo Chico Mendes, foi preciso nomear um procurador *ad hoc*, que só vem a Xapuri nos dias de audiência. A promotora da comarca, dra. Dinaura Margarida Dias Lins, exerce suas atividades em Rio Branco, como o grupo da Ação descobriu. Vem a Xapuri de vez em quando.

— O senhor acha que vai-se chegar aos mandantes desse crime? — perguntamos finalmente ao juiz.

Adair Longuini, 35 anos — a cara, a barba e a careca de Vladimir Herzog* —, manifestou uma sincera disposição de "ir fundo, doa a quem doer". Mas advertiu:

— O juiz não investiga, o juiz julga.

Achei que Xapuri se parecia com aquela cidade do filme *Mississippi em chamas*,** mas sem os recursos do FBI. Me ocorreu então a ideia maluca de uma campanha: por que, em vez dos ambientalistas, não trazer para cá os dois agentes federais do filme?

Deprimido, saí e fui direto ao quartel da PM. Quando voltava à cidade — e em um mês isso se repetiu oito vezes — a primeira coisa que fazia era ir, com o coração na mão, ver o garoto

* Jornalista torturado até a morte em 25 de outubro de 1975, no DOI-CODI de São Paulo, Herzog tornou-se um dos símbolos do combate à ditadura militar.
** Filme de 1988 dirigido por Alan Parker e estrelado por Gene Hackman e Willem Dafoe.

Genésio. Havia sempre o pressentimento de que algo poderia ter ocorrido àquele menino completamente desprotegido. Mas ele estava sempre lá, como o deixara, sentado, misterioso, insondável, olhando não se sabe para que horizonte. Só Genésio, a testemunha-chave, resiste.

— Oi, Genésio.

— Oi.

— Tudo bem?

— ...

Genésio só respondia quando era importante responder.

“Nada a decir”

Um dia depois da morte de Chico Mendes, o médico Efrain Mendoza Mendivil, boliviano radicado no Acre há cerca de vinte anos, procurou o comerciante Pedro Ribeiro, seu amigo, dizendo que estava com um “problema de consciência”. Contou que poucos dias antes da morte de Chico Mendes estava numa mesa de jogo no Clube Rio Branco, onde funciona um cassino clandestino, quando viu entrar o ex-seringalista Gaston Mota, compadre de Darly Alves da Silva. Em seguida, Mota saiu acompanhado de dois seguranças particulares do ex-prefeito de Rio Branco, Adalberto Aragão, que estava jogando, como fazia frequentemente.

Poucos minutos depois, Gaston Mota voltou com os dois seguranças e um parceiro de mesa chamado Zé Arigó, que disse o seguinte ao médico Efrain:

— Dentro de cinco dias, o Chico Mendes vai morrer.

Dr. Efrain chegou a repreender Zé Arigó:

— Para com isso, vamos jogar.

Zé Arigó insistiu:

— Então conta cinco dias para ver o que vai acontecer.

No dia 22 de dezembro, quando soube do assassinato de Chico Mendes, a primeira providência que o dr. Efrain tomou foi fazer as contas. Da noite de 17, quando a morte foi anunciada na mesa de jogo, até aquele momento, haviam se passado exatos cinco dias.

Logo depois, o comerciante Pedro Ribeiro levou a história ao bispo dom Moacyr Grechi, que a transmitiu ao jornalista Sílvio Martinello, correspondente do *Jornal do Brasil*, sugerindo que entrevistasse o informante para ver se ele confirmava a versão de Efrain. Pedro Ribeiro confirmou.

Não satisfeito, dom Moacyr chamou o próprio Efrain, que não só confirmou o que ouvira no clube na noite de 17 de dezembro de 1988, como concordou que o fato fosse denunciado à Polícia Federal. No mesmo dia em que ouviu o médico, o bispo relatou sua história ao delegado da Polícia Federal, Luís Gonzaga, que viera de Brasília para dirigir a operação Varredura de busca a Darly e Alvarino Alves e aos três mineirinhos fugidos.

Segundo dom Moacyr Grechi, o delegado ouviu a história mas não se mostrou muito interessado.

Zé Arigó sumiu de Rio Branco e o dr. Efrain não gosta mais de falar dessa história. Quando estive com ele, no dia 19 de abril de 1989, como um cliente razoavelmente picado de mosquitos e, por isso, necessitando de um médico de "doenças da pele", sua especialidade, ele se mostrou a princípio muito simpático. Falou do tempo em que estudou na Faculdade da Praia Vermelha, no Rio de Janeiro dos anos 1950, recém-vindo da Bolívia, da taxa elevada de ácido úrico, que ele também tem, do calor etc. Depois receitou Decadronal, Diprosone e Citergil, antes de cobrar, "para ayudar", NCz$ 10,00 pela consulta.

— Doutor Efrain, o senhor conhecia o Chico Mendes?

— Conocí, conocí.

— O senhor sabia que ele ia morrer no dia 22 de dezembro, não sabia?

Nesse momento, o dr. Efrain, assustado, deu um salto da cadeira e praticamente expulsou o falso cliente da sala.

— No tengo nada a decir, por favor, saia.

Se a Polícia Federal estivesse agora interessada em ouvir a história, quem sabe o dr. Efrain repetisse o que contou a dom Moacyr?

A revolução sem armas de um seringueiro

Às seis da tarde, a temperatura cai bastante em Xapuri e uma inesperada primavera parece quebrar a monotonia de um clima que serve as quatro estações em apenas duas doses por ano: calor com água no inverno e puro no verão. Nessa hora, a praça da igreja seria um paraíso, se essa não fosse também a hora escolhida pelos mosquitos para saírem à rua. Mas os mosquitos da Amazônia lembram um pouco a poluição das praias cariocas. Quem chega acha que a convivência é impossível; depois se acostuma ou cria anticorpos. É bem verdade que até criar essas defesas, haja sangue.

Às seis horas da tarde de domingo, 10 de abril de 1989, um show fazia esquecer os mosquitos. Reunidos em frente à igreja, uns quinze seringueiros, na maioria jovens de vinte, vinte e poucos anos, faziam uma alegre algazarra. Riem, brincam e contam causos e lendas da região, como as histórias do Caboclinho da Mata, que fiscaliza a caça, e da Mulher da Seringueira, que protege a seringa, exigindo que ela seja corretamente sangrada. Em defesa da floresta, os dois são capazes até de matar os predadores.

Como se vê, são, *avant la lettre*, entidades mitológicas ambientalistas, cuja consciência preservacionista deve fazer a alegria dos ecologistas.

A história de maior sucesso daqueles monitores do Projeto Seringueiro* ali reunidos é a de Almir Ferreira Sena, 24 anos, do Seringal Nazaré, distante de Xapuri nove horas "de a pé, pelo varadouro". Ele é um contador de fazer inveja a Chico Anysio e de lembrar Guimarães Rosa. Com seu próprio caso, Almir ilustrava a informação de que a maioria dos casamentos nos seringais é feita com o roubo da moça pelo pretendente. É uma sábia prática em que todo mundo faz de conta: o rapaz finge que está roubando, a moça faz de conta que está sendo obrigada a fugir e o pai simula uma grande indignação. Há mais ou menos quatro anos, Almir fez o roubo de Graciete, assim:

Eu saio. A varação cerrada e eu nunca tinha andado. Hora e meia sem ninguém. Saí, saí, saí, quando deu um negócio de cinco e meia eu cheguei. Formando umas nuvenzinhas baixas, relâmpago cortando, fiquei no pé da cerca. Esperando. Nisso à tarde ele [o pai] *tinha saído pro Deserto, mais o João Sena. Aí eu fiquei. Lá vem o tempo. Chuva, trovão e relâmpago, eu corro pra dentro de um galpão. Na minha viagem um boi ainda corre atrás de mim, eu saí às tontonas, abri a porta do paiol quase na marra, passei pra ele não me pegar nas pontas. Aí fiquei lá, e chuva, chuva, chuva e chuva grossa, chega estrondava. Agora é o que der. Vou dormir em cima desse arroz, de madrugada vou m'embora, eu com lanterna e tudo, espingarda. Quando deu oito e meia, parou a chuva. Digo: "Ah! Vou já pro portão de novo", só chovendo um pouquinho. Aí eu lá*

* Criado em 1981 com o objetivo de alfabetizar pessoas no meio da floresta, tornou-se uma marca tão forte que hoje batiza todo o trabalho de educação do Centro dos Trabalhadores da Amazônia.

fui pra porteira, aí eu cheguei lá e dei uma de misterioso. Me acoquei, a chuva tinha passado assim, tava a areia molhada, eu foquei pra ver se tinha rastro, tinha um rastro de sandália. Eu disse: "Ela já passou aqui? Será?". Mas deixe que ela tinha vindo e voltado. Eu fiquei ali. Um chuvisquinho ali e eu ali de coca, com um friiio! Um pedaço lá envinha. Aí chegou, aí eu foquei. Aí saímos, passamos bem encostadinhos na casa, passamos beirando num igarapé, com água assim no peito, tudo molhado, parecia um pato velho. Chegamos em casa onze e meia da noite.

O problema é que no dia seguinte, um domingo, Almir tinha uma reunião na igreja evangélica com, entre outros, seu Zé, o pai da noiva.

"Ele se virou pra mim, bateu no meu ombro, disse: 'Almir, tu carregou Graciete?'. Aí eu baixei a cabeça, quase acho graça e disse assim: 'E *num* foi?'. Aí ele respondeu pra mim: 'Eu sabia que tu *num* ia fazer que nem *home*, Almir'. Digo: 'Isso mesmo, eu posso até nem ter feito que nem *home*, mas fiz exatamente que nem você quando quis *casá* com dona Maria'."

A professora Regina Hara havia dito que a figura mais interessante do Projeto Seringueiro era Francisco de Assis Monteiro de Oliveira, nascido há trinta anos na Bolívia, Seringal Marina, Colocação São Francisco, e hoje presidente da Cooperativa das Reservas Extrativistas.* Regina, uma professora paulista, acompanha o Projeto Seringueiro há seis anos, e com Maria Lúcia

* Principal bandeira de Chico Mendes, as Reservas Extrativistas são áreas pertencentes à União com usufruto dos seringueiros, que se organizam em cooperativas e associações, não havendo títulos de propriedade. As Reservas dão sustento aos milhares de famílias que trabalham nelas e são uma forma de preservação da natureza.

Martins, uma matemática, e Nieta Lindemberg, uma doutora em Línguas, estavam preparando os monitores.

Assis é uma espécie de mestre de todos. Cada monitor aprendeu um pouco com ele. Uma entrevista ali mesmo na praça revela que aquele caboclo inteligente, magro, casado duas vezes e pai de três filhos, é uma enciclopédia de sua gente e talvez o herdeiro mais autêntico da obra de Chico Mendes — não no que ela tem de político, porque nesse campo cada um se julga um herdeiro, mas no que ela tem de pedagogia, de plantação de ideias.

Além de presidente da Cooperativa e, como professor, formador da consciência de seus companheiros, ele é também Agente de Saúde, uma figura criada pelo Projeto para ocupar o espaço dos inexistentes médicos e melhorar, por exemplo, os conhecimentos empíricos das parteiras. Numa comunidade extremamente fértil, cujas famílias geram frequentemente dez, doze filhos, pode-se imaginar a importância desses agentes, que se preparam fazendo estágios em hospitais. A eficiência do aprendizado podia ser comprovada ali na praça, pelo jovem Jorge Antônio Alves: uma motosserra fizera-lhe um rasgo na perna e ele mesmo havia costurado.

Assis é capaz de manter uma sofisticada discussão sobre o método de alfabetização, como pode falar da moral do seringueiro, dos seus preconceitos, do seu machismo, da Aids ou do modo de produção mais adequado para a borracha.

O seu discurso é recheado de categorias culturalmente refinadas, mas não chega a soar pedante porque é pronunciado com segurança e com os erros gramaticais de quem incorporou novos saberes sem adulterar os originais. É o discurso de quem é capaz de ir aos Estados Unidos discutir com os gringos, como fez recentemente em companhia de Ilzamar, e voltar para tratar dos doentes no mato, cortar seringa e, agora, presidir a Cooperativa.

Naquela noite, a melhor ilustração para a fertilidade da família seringueira foi dada por ele, com divertida imprecisão:

"Lá em casa nós somos nove, parece que é nove; o meu tio Doca tem mais ou menos uns dez; tio Pedro sozinho deve ter uns doze; a tia Maria deve ter na média de uns oito a nove, por aí; o tio João tem uns nove ou dez; tia Naninha tem seus oito, por aí."

Assis contou o trabalho que os agentes tiveram para, "sem violentar a tradição", conscientizar a população da floresta, principalmente as parteiras e os curadores, de que há certas doenças que não se curam com reza, como o mal do sétimo dia. A falta de esterilização das tesouras na hora de cortar o cordão umbilical fazia com que uma das *causa mortis* mais frequentes nos nascimentos fosse o tétano, que em geral se manifestava no sétimo dia após o parto, daí o nome popular.

O Projeto Seringueiro, em seis anos, construiu 23 escolas, sete a mais do que o município em mais de um século. Essa iniciativa, no plano da educação, e a Cooperativa, em termos econômicos, criaram em Xapuri um modelo que pode se estender a todo o estado ou a toda a Amazônia, como sonhava Chico Mendes.

— A Cooperativa — explica Assis — substituiu a figura do marreteiro, que tomou o lugar dos patrões e controlava todo o ciclo: ditava o preço da borracha, que comprava, e das mercadorias, que em troca vendia.

Assis informou que a Cooperativa já havia comprado a borracha dos seringueiros este ano e só não havia feito o mesmo com a castanha por falta de capital de giro. Fora isso, o apoio era integral, segundo ele:

— Quem não gosta da Cooperativa, quem faz propaganda contra é justamente a figura do marreteiro, que substitui o patrão na exploração do seringueiro.

Ao lançar a ideia das Reservas Extrativistas, Chico Mendes sabia que era preciso estabelecer uma base econômica forte. Ele dizia:

— Uma política estratégica do governo e dos grandes fazendeiros é deixar o seringueiro em total miséria, lá no meio da mata, para que ele se desestimule e venha para a cidade.

Chico acreditava tanto nas cooperativas que, naqueles seus surtos visionários, as via se alastrando pelo vale do Acre, pelo vale do Juruá, por todo o estado e por toda a Amazônia. "Sabemos que vai levar tempo, mas nós vamos chegar lá."

Algumas autoridades com quem conversamos, inclusive o governador, não fazem muita fé na viabilidade da Cooperativa. Aliás, não fazem fé na própria viabilidade econômica da atividade extrativista tal como é exercida, de maneira artesanal, sem o apoio de culturas perenes, sem subsídios do governo. O argumento deles é forte. Distante dos centros de beneficiamento da borracha, sem uma política nacional de sustentação dos preços, sem incentivo, o seringueiro seria uma espécie em extinção.

Aquelas 70 mil sementes de seringa, que um certo inglês contrabandeou há cerca de cem anos para a Malásia e que quarenta anos depois acabaram derrubando o preço do produto brasileiro no mercado internacional, seriam ainda as responsáveis.

— Para você ter uma idéia — disse o governador Flaviano Melo —, a borracha da Malásia chega aqui, no Acre, cinquenta por cento mais barata do que a nossa.

Essa é uma longa discussão porque, ainda que se admita a decadência da borracha, o produto continua sendo a maior fonte de recursos do estado. Ela sozinha representa 60% na arrecadação estadual — a castanha, 10% —, enquanto a agropecuária, que dá poder político de vida e morte aos fazendeiros, não representa mais do que 5%.

Menos discutível que o valor econômico de cada produto é a semente que Chico lançou na consciência dos seringueiros. Ele semeou na cabeça de Assis, de muitos Assises, uma ideia que cresce mais rápido do que qualquer seringa ou castanheira — a consciência da dignidade.

Depois da reunião na praça, fomos para o prédio do antigo Projeto Rondon, onde numa pequena sala desconfortável e calorenta a professora Regina Hara ia gravar uma sessão de avaliação do Projeto Seringueiro com dois monitores do curso: Adalcides Ferreira de Morais, vinte anos, e Alcino Monteiro de Oliveira, de 25, ambos professores da Escola Nova Esperança, do seringal do mesmo nome.

Durante umas duas horas, os dois analisaram métodos de ensino, relataram a impressão dos seus quarenta alunos que às vezes andam oito, dez horas para assistir a uma aula, discutiram palavras geradoras, quadro de descoberta, enfim, categorias que deixariam Paulo Freire orgulhoso, embora o seu método tenha sofrido aqui algumas atualizações.

Em 64, o golpe militar desbaratou o Plano Nacional de Alfabetização, de Freire, expulsou o autor para o exílio, perseguiu seus colaboradores, acreditou enfim que tinha matado aquele vírus subversivo feito de palavras e ideias. Se houver ainda vivo algum remanescente daquela caçada a Paulo Freire, saiba que o seu plano vive nas matas da Amazônia.

Naquela noite, o que mais agradava aos dois monitores nessa atividade de aprender e ensinar era a sua importância prática.

— Antes, o fazendeiro chegava com o papel e mandava assinar. No dia seguinte vinha a intimação. Agora, não, quando manda assinar a gente pega o papel e vê o que ele está contando. A gente então decide se pode assinar ou não.

Eu não agüentava mais de calor e de sono, a estoica professora paulista também dava sinais de cansaço e aqueles dois jovens, que costumam acordar às três horas da madrugada, tinham a animação de um forró. Não queriam acabar de contar suas experiências pedagógicas, principalmente Alcino, um incansável falante:

— Se não fosse a escola, o movimento acabava findando. O assassinato de Chico Mendes é um exemplo. A gente tá educando os que ficam. Quando tomba um que está na frente, surgem outros. O fazendeiro acha que quando acaba com um na frente acaba com o movimento. Mas agora, se tomba um, vem outro.

Assim escrito, pode parecer um discurso político, retórico, mas não era. Alcino falava com a mesma serenidade com que momentos antes explicara as vantagens do método da professora Maria Lúcia de ensinar matemática — um jogo de peças de encaixe, em cores variadas, lúdico, capaz de explicar a teoria dos conjuntos ou coisa assim. À tarde eu não conseguira entender. Alcino me humilhava.

Em 1980, quando assassinaram Wilson Pinheiro, em Brasileia, primeiro grande líder seringueiro da região, o movimento quase acabou. Haviam sobrado dois líderes — Chico Mendes e Raimundo de Barros, seu primo —, ambos marcados para morrer. Se pegassem os dois, o movimento estaria extinto.

Depois de passar noventa noites dormindo em lugares diferentes, Chico chamou então Raimundo e propôs que, a partir daquele dia, eles não andassem mais juntos: “Agora, cada um de nós vai ter a missão e o compromisso de formar lideranças nas áreas de atuação”.

Realista, Chico explicou para o companheiro:

— Se te matam, eu vou manter o movimento com outros companheiros; se me matam, você vai tocar o movimento com os companheiros.

Pouco antes de morrer, Chico Mendes teve a alegria de poder dizer:

— Hoje, pelo menos, eu não tenho mais aquele frio, eu não tenho mais aquele medo de morrer e o movimento parar.

Eu me lembrei de outra frase de Chico em que ele dizia que, além desse trabalho de conscientização, contava apenas com duas armas: a pressão internacional e a pressão da sociedade brasileira. A primeira, ele conseguira de maneira absolutamente genial. Em janeiro de 1987, Chico conseguiu que uma comissão da ONU viesse ao Acre observar a luta dos seringueiros contra o desmatamento dos fazendeiros. Os visitantes ficaram chocados, e mais ainda quando ouviram de Chico a informação de que aquilo era "o resultado dos projetos financiados pelos bancos internacionais".

A demonstração foi convincente. Em março do mesmo ano, a ONU e as entidades ambientalistas americanas convidavam Chico para participar da reunião do Banco Interamericano de Desenvolvimento em Miami. "Eu fui sabendo que estava em território inimigo", contaria depois. De fato, o presidente do Banco Central do Brasil conseguiu inicialmente barrar a entrada do seu compatriota.

Qualquer mortal comum nessa situação protestaria, denunciaria a discriminação pelos jornais, mas não entraria. Chico achava que o importante era entrar. Teve então uma daquelas pequenas inspirações que distinguem uma pessoa excepcional: descolou com a imprensa americana, já sua amiga, uma credencial de jornalista e entrou. "Entrei e denunciei para vários diretores executivos do BID o que estava sendo feito na Amazônia."

Em função disso, no dia 28 de março de 1987, Chico era recebido pela comissão de verbas do Senado dos Estados Unidos, carregando documentos que provavam as consequências que o desmatamento, com a abertura da estrada financiada pelo BID, estava causando. O seu raciocínio era lógico como a cabeça de um seringueiro: o desmatamento é provocado pela estrada financiada pelo BID. Logo, o BID estava financiando o desmatamento. No dia 2 de abril, o BID suspendia o resto do desembolso para o asfaltamento da estrada.

Quando saímos da reunião de avaliação, já era quase meia-noite. O ar fresco da noite e a descoberta de que Alcino é irmão de Assis e ambos filhos de Luiz Targino de Oliveira — um bravo seringueiro de 56 anos, dos mais antigos companheiros de Chico, que hoje garante a vida do ex-padre Gílson Pescador com uma 38 — me deram a sensação de que eu começava a descobrir por que mataram Chico Mendes. Chico estava realizando uma revolução, a única possível nesses tempos: sem armas — ou melhor, com as suas armas.

Um filme de muito suspense

O roteirista do filme sobre Chico Mendes vai ter muito trabalho para compor o personagem de Mary Helena Allegretti (pronuncia-se aqui Marí), um dos mais polêmicos e complexos do elenco amazônico. Ninguém, nem amigos, nem inimigos — e ela os tem em igual número —, nega a Mary duas coisas: legitimidade e ambição.

Foi ela quem ajudou a lançar Chico para o mundo, foi ela quem o sustentou durante muito tempo através de bolsas que conseguia com seu prestígio junto a entidades internacionais, e é ela quem tem ajudado a segurar a barra material de Ilzamar e seus filhos.

A antropóloga Mary Allegretti, quarenta anos, frequenta a Amazônia muito antes de a região se transformar em moda, desde meados dos anos 1970, quando veio fazer a sua tese *O seringueiro: um estudo de caso num seringal nativo do Acre*, e por aqui ficou. Ai de quem tentar alguma coisa hoje na Amazônia sem o aval de Mary.

"Se Marí cismar de trazer o mar para Xapuri, ela traz", nos disse alguém que trabalha com ela sem ser sua admiradora incondicional. Mary ainda não pensou nisso, mas o que já fez não é muito menos: o instituto amazônico mais influente no mundo é o que ela fundou e dirige.

Qualquer pessoa cairia no ridículo ao se apresentar como diretora do Instituto de Estudos Amazônicos (IEA), não de Belém, Manaus ou Rio Branco, mas de Curitiba. Com Mary isso não acontece. Ela é respeitada, embora não seja amada. A sua característica é a objetividade. Num meio como o da militância de esquerda, em que se prefere discutir a fazer, ela faz. Mandona, centralizadora, autoritária, as coisas em suas mãos saem — como ela quer, mas saem.

"Se ela se decidisse a fabricar salsichas, teria igual sucesso", diz outro colaborador. Mas como Mary nunca teve vocação para salsicha, tornou-se uma eficiente empresária cultural especializada em Amazônia.

Para a realização do Primeiro Encontro Nacional dos Seringueiros, em 1985, em Brasília, a ajuda de Mary a Chico Mendes foi fundamental. Além de ficar "agilizando" na capital, como ele disse, Mary foi quem conseguiu apoio financeiro da Oxfan, uma agência inglesa que tem ajudado muito os seringueiros.

Há anos que o Projeto Seringueiro — uma das mais belas criações de que ela participou — precisava de uma biblioteca ambulante para percorrer as 23 escolas dos seringais de Xapuri. Ninguém arranjava. Quem conseguiu? Ora, a mesma pessoa que descolou 70 mil dólares para a realização do Segundo Encontro Nacional dos Seringueiros e Primeiro dos Povos da Floresta, em fins de março último, em Rio Branco. A biblioteca é uma placa de lona do tipo daquelas sapateiras que se penduram na parede. Só que aqui, nas bolsas, guardam-se livros em vez de sapatos. Dobrada, tem a forma de uma mochila para carregar nas costas.

A biblioteca é mais útil aos seringueiros do que foi, por exemplo, o Encontro, de eficácia discutível e custo milionário.

Mas certamente a biblioteca não atrairia ao Brasil jornalistas de treze órgãos de imprensa de todo o mundo, como o Encontro.

Uma vez lhe disseram: "O que seria de você sem o Acre?". Ela respondeu: "E o que seria do Acre sem mim?". Seus admiradores acham que na comparação se poderia substituir o Acre por Chico Mendes.

Quando Chico morreu, Mary estava nos Estados Unidos, para onde vai com a mesma frequência com que vem ao Acre. Para chegar a tempo do enterro, só havia um voo, de uma companhia boliviana e, claro, sem lugar. Era impossível voar, mas não para Mary. Ela foi para o aeroporto, fez um comício para a longa fila de espera mostrando a importância do morto e a necessidade que tinha de vir, atropelou quem tinha que atropelar e chegou a tempo de assistir ao enterro do amigo querido. Dizem as más línguas aqui que ela chorou mais do que as duas viúvas.

Logo depois, voltava aos Estados Unidos levando devidamente autorizado o documento para criar a Fundação Chico Mendes.

Durante muito tempo Mary diz que aceitou a crítica de que era centralizadora, arrogante, pretensiosa. "Eu agora sou mesmo, só que por um objetivo muito claro, íntegro." A antropóloga acredita que tenha um conjunto de ideias e projetos para mudar a Amazônia, o Acre e até o Brasil.

— Há um projeto político nisso que envolve uma crítica à atuação partidária, uma crítica ao papel dos intelectuais e uma crítica ao movimento de esquerda, que não conhece o Brasil, que não põe o pé no chão, que não suja a mão com a miséria do povo, que não joga sua vida. Só joga suas ideias e num nível muito abstrato.

Ela diz que a morte de Chico encerra uma etapa.

— Agora os seringueiros são protagonistas de sua própria história e eu também sou da minha. É uma crítica aos intelectuais que têm que começar a entender que o Brasil não é só Rio e São Paulo. Mas para isso, tem-se que fazer uma revolução dentro de si mesmo.

Mary — junto com Steve Schwartzman e Adrian Caldwell — foi muito útil à estratégia de marketing de Chico Mendes, um mestre no gênero. Igual a ele, visível na história contemporânea, só Glauber Rocha e, mais distante, Assis Chateaubriand (e, vivo, o discípulo deste, Luiz Carlos Barreto). Os três, planetários, sabiam como explorar genialmente a má consciência do dominador, apresentando-se como *mauvais sauvages* e oferecendo ao consumo do moderno colonizador um exotismo agressivo. Chateaubriand, como embaixador na corte de St. James, pegando a rainha pelo braço e levando para um canto: "Look here, Queen". Glauber em Paris, escarafunchando o nariz e metendo a mão no prato de sua companheira de jantar, ninguém menos que Elisabeth Taylor. Chico Mendes hospedado no Waldorf-Astoria, em Nova York, tendo no andar de cima Ronald Reagan, esnobando seu cicerone, Ted Turner, e perdido na parafernália de comandos do banheiro — "O que é chuveiro aqui, Marco?" —, mas sem perder nunca o seu objetivo: "Eu quero saber é como vou descolar dinheiro desses gringos para os seringueiros", dizia sempre que podia para seu amigo e companheiro de viagem, Marco Antônio Mendes, atual presidente do Instituto de Meio Ambiente do Acre.

Com uma causa que no começo não tinha o charme da causa indígena, Chico fugiu logo daquela tendência ao martirológio da esquerda, de tipo: estou com a boa causa, mas ninguém me compreende.

— Por muitos anos — explica Mary — o Chico tentou saídas pela via tradicional de esquerda. Ele criou o PT no Acre, mas não ganhava eleição e não conseguia prestígio político nenhum.

Quando sentiu que tinha que mudar de estratégia, o contato com Mary, Steve e Adrian ajudou muito, como relembra Mary:

— Ele começou a perceber que não era só o problema da luta de classes tradicional que o alijava da imprensa, da opinião pública. Era a forma de se comunicar. Ele sacou isso muito bem.

É evidente que atrás dessa estratégia havia uma boa proposta. O Banco Mundial, quando adotou muitas das ideias de Chico para aprovar a liberação de dinheiro para o Brasil, adotou porque elas eram boas, não só porque eram bem vendidas. Não se pode esquecer que o BID e o Banco Mundial estavam cansados de receber problemas, não soluções. Quando alguém apresentou, além das críticas, uma proposta, a aceitação foi imediata. É claro que, como se viu, para chegar a isso Chico teve que se transformar inclusive em jornalista americano.

— Ele tinha uma estratégia de comunicação que não tem nada a ver com a esquerda tradicional, que não gosta, não sabe e rejeita esse tipo de coisa — explica Mary, também especialista no gênero.

Mary Helena Allegretti é um personagem difícil de ser representado. Marí está longe de ser uma vilã, tão longe quanto está de ser apenas uma antropóloga. É papel para... um produtor americano sugeriu Sigourney Weaver, mas a sua ambivalência é dose para Marília Pêra.

Tudo indica que ela se sairá bem no filme, até porque uma das exigências que conseguiu incluir nos contratos — nos estrangeiros pelo menos — é o seu nome como consultora da história. Mas Mary conseguiu mais: se escolhida a proposta da Better World Society, por exemplo, o Instituto de Estudos Amazônicos, de Curitiba, receberá tanto quanto Ilzamar e o Conselho Nacional dos Seringueiros: nada menos que 50 mil dólares, dos 250 mil. Como todos os pretendentes agora vão ser obrigados a começar a corrida com 1 milhão de dólares, aqueles números devem ser atualizados.

A comissão encarregada de escolher as propostas do filme — formada por Ilzamar, Mary, Steve Schwartzman e Gílson Pescador — está hoje nitidamente dividida. De um lado há Mary, possivelmente com o apoio de Steve, tendendo para a escolha de uma produtora estrangeira. Ela não esconde sua desconfiança de que os produtores brasileiros não consigam manter as propostas que fizeram. De outro lado, está Gílson, muito tentado a votar numa proposta brasileira: a de Joffre Rodrigues, a de Roberto Farias ou a de Luiz Carlos Barreto. Ilzamar está na difícil posição de ter que decidir no caso de um empate entre os quatro. Como presidente da comissão, o voto de minerva, valendo dois, seria indiscutivelmente dela. Resta saber para onde ela pende — e isso não é fácil saber.

Ilzamar é muito grata a Adrian Caldwell, autor de um dos documentários mais completos sobre a Amazônia: *A década da destruição*. Há nove anos, Caldwell vem regularmente à Amazônia em função do seu trabalho e acabou se tornando muito amigo de Chico Mendes, a quem ajudou inclusive financeiramente. Quando Sandino nasceu, Ilzamar estava grávida de gêmeos — perdeu o outro. Adrian foi quem a levou para o hospital e pagou o parto. É justamente ele, como roteirista, tendo como diretor Chris Menges, que a Warner Bros. propõe.

Isso facilitaria um acordo entre as duas mulheres da comissão.

A "Nova Ilzamar", porém, a mulher que quer andar com seus próprios pés, não está disposta a ceder "o meu espaço", uma expressão que gosta muito de usar, até porque uma das poucas queixas que tem do marido é que ele não lhe dava espaço. Ilza não quer mais a tutela de Marí: "Ela está querendo o meu espaço", desabafou um dia referindo-se a Mary Allegretti, "mas não vai ter".

Até a reunião que selecionou seis das quinze propostas apresentadas, as relações dos membros da comissão ainda estavam publicamente cordiais — escolher seis propostas é mais fácil do que uma. Mas vai chegar o momento da decisão final e aí é difícil prever o que acontecerá.

O grande opositor de Mary na comissão e no movimento é o ex-vigário de Xapuri Gílson Pescador, que nas últimas eleições para prefeito foi derrotado por apenas duzentos votos num colégio de 6 mil eleitores — um resultado que foi contestado como fraudulento. Formado em filosofia pela Universidade do Paraná e em teologia pela PUC do Rio, Gílson trabalhou muito tempo com frei Leonardo Boff e é primo do bispo do Acre, dom Moacyr Grechi, mas não convidem os dois para a mesma mesa. Estão rompidos: segundo alguns, porque Gílson, 29 anos, deixou a batina para se casar; segundo o próprio ex-padre, por divergências políticas com o primo. Gílson gostaria de premiar o nosso cinema.

Se a escolha recair sobre uma produção brasileira, o cinema nacional vai ficar devendo isso a Roberto Farias. Quando o diretor de *Selva trágica* chegou a Rio Branco para presidir o Primeiro Festival de Vídeo, no começo de abril, só se cogitava das propostas americanas. Roberto chegou, deu uma entrevista em *A Gazeta* e no dia seguinte foi com o presidente da Fundação Cultural do Acre, Francisco Gregório Filho, a Xapuri. A tese de Roberto mudou o quadro. Ele dizia mais ou menos o seguinte: o dinheiro, isto é, a produção, pode ser americano, mas o diretor deve ser brasileiro.

Na quarta-feira, dia 5, Roberto Farias, carregando um vídeo do seu *Pra frente Brasil*, se reunia na casa de Gílson Pescador com este, Ilzamar e alguns seringueiros. Ele sugeriu que se estudassem com cuidado as propostas e que se preferisse um bom adiantamento em lugar de uma participação futura. "Em trinta e nove anos de cinema, isso nunca funcionou comigo", explicou. Era exatamente o contrário do que recomendara Mary à Comissão: interessar-se mais pelas percentagens.

Às dez horas da noite, já no Hotel Santo Antônio, que é ainda pior do que o Veneza, Roberto não conseguia dormir: por causa do calor — a camiseta de mangas compridas e um tubo de antialérgico não afugentavam os mosquitos — e por causa da reunião. Ele estava com escrúpulos de que se pudesse pensar que a sua defesa era em causa própria, embora só a partir daquele momento ele resolvera apresentar uma proposta. A sua posição, na verdade, visava a inclusão do cinema nacional na disputa, quaisquer que fossem o diretor e o produtor.

A exposição de Roberto Farias pegou muito bem. No dia seguinte, Ilzamar se mostrava entusiasmada e Gílson exultante com os argumentos: "Se somos de um partido que é contra a internacionalização da Amazônia, como aprovar a internacionalização do filme?", dizia ele.

Quem parece não ter gostado foi Mary. Dois dias depois, já em Rio Branco, ao tomar conhecimento da novidade, o advogado do IEA, Genésio Natividade, fez questão de ligar para sua amiga, do quarto do hotel de Roberto. Entusiasmado, explicou a proposta, uma solução que lhe parecia excelente. Falou, falou e propôs:

— O Roberto está aqui do meu lado, fala com ele.

Houve um silêncio constrangedor do lado de cá e a informação para Roberto:

— Ela não pode falar, está rouca.

Devia ser de tanto ouvir — como diria José Maria Alkmin.

Uma coisa só talvez não tivesse agradado a ninguém em Xapuri. Roberto prefere, para o papel de Chico Mendes, Lima Duarte, quando o nome-consenso, dentro e fora da Comissão, é Gianfrancesco Guarnieri — de tal maneira que, mesmo que ganhe uma produtora estrangeira, dificilmente o Chico nas telas será outro.

No dia 19 de abril, desembarcava em Xapuri o comando da JN filmes: Joffre Rodrigues e José Cláudio Padilha. Eles tinham a seu favor o fato de terem sido os primeiros — em janeiro, logo depois da morte do líder, quando não se falava em filme — a apresentar uma proposta. Aliás, a favor e contra, porque o que então propuseram eles têm vergonha de repetir hoje: 10 mil cruzados (antigos).

O primeiro encontro de Joffre com Ilzamar não começou muito bem. Com sua habitual franqueza, a viúva disse:

— Engraçado, antes no Brasil ninguém dava a menor bola pro Chico; agora vem todo mundo correndo.

Joffre saiu-se bem, dizendo que ela tinha razão e que o cinema nacional estava tentando se redimir dessa falta imperdoável. A sua proposta, tecnicamente, foi considerada a melhor, suplantando inclusive a de Luiz Carlos Barreto com seus aliados americano e italiano — isso se o julgamento fosse apenas técnico. Barreto propõe uma série para TV e, depois, um filme. A da JN é justamente o contrário: um filme e depois a TV, o que é mais lógico, já que, após passar na TV, dificilmente alguém vai ver um filme no cinema.

Luiz Carlos Barreto também esteve em Xapuri — de uma sexta a uma segunda — e deixou, como sempre, muito boa impressão pessoal, mas terá que mexer na sua proposta e, quem sabe, procurar Mary Allegretti. Se houver esse encontro, vale a pena cobrar ingresso. Quem achar que ele está fora do páreo é porque não conhece Luiz Carlos Chateaubriand Barreto.

Não se sabe que final vai ter esse filme — o certo é que ele não está fazendo bem à unidade do movimento. No mesmo domingo em que se decidiu a escolha das seis propostas, houve uma reunião do Conselho Consultivo da Fundação Chico Mendes. Marí tinha uma proposta: que Gílson Pescador fosse o vice-presidente e que o tesoureiro fosse um advogado que ela traria de Curitiba. No dia seguinte de manhã, Gílson não teve dificuldade em interpretar a tentativa: jogá-lo para um posto decorativo e manter indiretamente nas mãos da sua adversária o cargo mais importante.

Uma das habilidades de Chico Mendes era administrar talentos diversos e conflitantes. Quem agora vai dar conta de um material humano tão variado e divergente, com tanto dinheiro e poder em jogo? De um lado, Mary, inteligente, ambiciosa, sendo reconhecida lá fora como a herdeira de Chico Mendes. Do outro lado, o abnegado Gílson Pescador, ameaçado de morte, carregando o piano do movimento, petista, dando às vezes a impressão de que, em política, deixou a Igreja mas não a religião. Com ele, o outro assessor, Gomercindo Garcia Rodrigues, dedicado, capaz de se enfurnar semanas nos seringais, conhecendo tudo dos seringueiros, mas com uma cintura política de elefante. E, meio perdidas, as lideranças seringueiras: Raimundo Barros, Júlio Barbosa, Osmarino Amâncio.

Durante um mês, encontrei em cada líder com quem conversava um pedaço de Chico. Depois, somei todas as partes e, por mais que somasse, nenhum resultado deu um Chico Mendes inteiro.

Fantasias de felicidade

Se o moderado Chico Mendes ouvisse Fernando César Mesquita falando para os fazendeiros do Acre naquela tarde de domingo, talvez o aconselhasse a ir com calma: "Devagar, companheiro". Para uma plateia visivelmente hostil, Fernando explicava a posição do governo diante dos desmatamentos e dava alguns exemplos das dificuldades por que estavam passando os brasileiros no exterior.

Ele mesmo, num hotel da Itália, fora procurado por um grupo de empresários dizendo que eram quase agredidos, quando revelavam sua nacionalidade. Havia motoristas de táxi que xingavam os brasileiros de "assassinos" e até os hambúrgeres do McDonald's estavam sofrendo uma campanha, sob o pretexto de que a carne era de boi criado em fazendas que devastavam a floresta.

— Se o governo destinasse hoje bilhões de dólares para reverter essa imagem na Europa, faria um investimento em vão — confessou.

Fernando havia lembrado antes para os jornalistas a ordem que o presidente Sarney, evocando García Lorca, lhe dera ao chamá-lo para a presidência do Ibama, o Instituto Brasileiro do Meio Ambiente e Recursos Naturais Renováveis:

— Fernando, verde que te quero verde.

Naquela tarde, Fernando estava mais verde que o seu xará Gabeira, ali, diante da fina flor da UDR, avisando corajosamente que ia fazer cumprir as resoluções do Conselho Nacional de Meio Ambiente — o Conama.

— Olha, gente, a questão ecológica, ambientalista, não é mais assunto de poetas, românticos e sonhadores, nada disso.

Em seguida, ele explicou que, com a morte de Chico Mendes, o Acre transformara-se no "centro do mundo". Os dirigentes da UDR, entre outros fazendeiros, pressionavam o convidado para que ele revogasse a suspensão — quer dizer, voltasse a autorizar — de um desmatamento de mil hectares na Fazenda Paloma, a cem quilômetros de Rio Branco.

— Eu não posso fazer isso, sob pena de botar por terra a minha autoridade. Cedendo às pressões de vocês, eu abriria um precedente.

O Caso da Paloma estava mobilizando há duas semanas o Acre. O primeiro relatório de uma comissão formada por representantes do Incra, do Instituto de Meio Ambiente e da Fundação de Tecnologia do Acre autorizara o desmatamento. Depois de três dias de vistoria na fazenda de Edmar Sanches Cordeiro, os técnicos concluíam que não havia infração a nenhuma norma do código florestal. Não havia na região, como se denunciou, os noventa ocupantes nem a área era de exploração de seringa.

Logo depois, porém, chegava ao Acre um enviado especial de Fernando Mesquita, Renato Torrano, "Ouvidor da natureza", que desautorizou a Comissão de técnicos e suspendeu o desmatamento da Paloma. Torrano alegava que o dono da fazenda não tinha providenciado o Rima, Relatório de Impacto Ambiental, a ser feito por uma firma especializada, para depois ser analisado pelo Ibama. Depois disso, essa palavra sem nenhum sentido poético aqui passou a ser o terror dos fazendeiros. Dançava quem não possuísse o Rima, isto é, um detalhado documento que provasse não haver agressão ambiental à área a ser trabalhada.

Os fazendeiros se irritaram e o governador Flaviano Melo ficou ao lado deles, chamando pelos jornais o ouvidor de idiota.

— Pode dizer: é um idiota.

Por isso Fernando estava ali, cercado por fazendeiros de dedos em riste. Um deles, Dirceu Zamora, presidente da UDR local, resolveu se retirar, mas antes disse:

— Então venceram os desocupados — referindo-se aos seringueiros e índios que denunciaram o desmatamento que estava sendo preparado.

Outros ficaram, entre eles o deputado federal (PFL) Narciso Mendes, um dos proprietários, com João Branco, do jornal *Rio Branco*. Narciso estava apocalíptico:

— A floresta está invadida por gente do Sendero Luminoso e o governo não tem o controle do novo Araguaia que é o Acre.

A reunião estava encerrada, mas, antes, Torrano, que é ex-policial, chamou os seus assessores e estes armaram um discreto esquema de segurança para que o seu chefe verde pudesse sair incólume.

Alguma coisa parecia estar mudando no Acre. Duas semanas depois, os repórteres Francisco José e Ernesto Rodrigues, da TV Globo, entravam com sua equipe na fazenda de Adalberto Aragão para documentar uma cena inédita: um empate, mas não feito pelos seringueiros, e sim pelos agentes do ex-IBDF (Instituto Brasileiro de Desenvolvimento Florestal).

O presidente do Conselho Nacional dos Seringueiros, Júlio Barbosa, que havia feito a denúncia, ficou satisfeito com o embargo na Fazenda Três Marias:

— Sempre conseguimos parar os desmates através dos empates; hoje parece que vamos conseguir por vias legais.

Aragão, ex-prefeito de Rio Branco pelo PMDB e um dos fundadores da UDR no Acre, é um dos nomes mais citados como envolvido na morte de Chico Mendes. Anda sempre cercado de uma meia dúzia de seguranças que a oposição garante serem jagunços.

É dono, entre outras, da Fazenda Três Marias, a caminho de Xapuri, onde havia começado o desmatamento. Os seringueiros souberam, avisaram o IBMARN e, no dia seguinte, os agentes foram lá e proibiram os cerca de vinte peões de continuar o trabalho de brocado, isto é, o corte da vegetação mais rasteira que dá início ao desmatamento.

— Imagina se antes a gente entraria aqui — disse Adalberto Dourado segurando com mão de ferro o volante do jipe Engesa, esse carro que parece subir em árvore. Dourado, Gilberto e Elder eram os agentes do antigo Instituto Brasileiro de Desenvolvimento Florestal (IBDF, hoje incorporado ao IBMARN), que estavam conduzindo a equipe de Francisco José pelos dois quilômetros que separam a estrada do local que Aragão mandou desmatar. A estrada é tão ruim que foram precisos quarenta minutos — sobre água e lama — para transpor esse trecho. Apesar disso, nas últimas 72 horas era a segunda visita que os fiscais faziam para ver se sua ordem estava sendo cumprida.

— Isso passa, o governo não pode parar o investimento rural no Acre — disse depois o empresário George Teixeira Pinheiro, dono do hotel onde se realizou a reunião de Fernando com os fazendeiros, e presidente da Associação Comercial do Acre.

Pacífico, George não gosta de confusão e se preocupa com o clima de tensão, embora não acredite num conflito já. Ele acha que esse clima poderia ter sido evitado, se o governo jogasse claro. Ele mesmo havia estado recentemente com o general Bayma Denis e proposto:

— Por que o senhor não diz para os empresários: "Este ano não vamos deixar derrubar um pau na Amazônia".

O general teria respondido a George e seus companheiros que não era nada disso, que o governo ia apenas fazer cumprir a legislação. O presidente da Associação Comercial é cético em relação à eficácia da providência para toda a Amazônia.

— O cadastro do Brasil agora é esse: o Acre não pode sofrer desmatamento. Pode derrubar ali em Rondônia, mas aqui não.

Antes, no mesmo dia da reunião de Fernando com os fazendeiros, o presidente da Federação das Indústrias de Rondônia, Frederico Simon Camelo, havia estarrecido os seus pares com um discurso ecológico que poderia ser assinado por Chico Mendes.

Camelo começava dando boas-vindas "à gritaria internacional", pois reconhecia que era graças a ela que se verificara que "de fato estamos explorando a Amazônia de forma predatória e irresponsável".

Para não ficar apenas nas críticas, o presidente da Fier apresentava um elenco de recomendações ao governo, uma das quais provocou um choque na assistência:

— Que sejam proibidas imediatamente novas derrubadas por dois a cinco anos até que sejam postas totalmente em atividade produtiva as áreas já desmatadas.

Uma outra proposta era igualmente subversiva:

— Que fosse editada pelo Congresso Nacional, para toda a Nação, uma lei que proibisse o proprietário do solo desmatar um só palmo, sem que primeiro provasse que toda a área já desmatada em sua propriedade estivesse em plena atividade produtiva.

Que tal essa outra?

— Que na Amazônia não seja mais permitida a prática da pecuária extensiva.

Para não parecer uma ideia delirante, Camelo citava exemplos de países com carência de terra, como a Holanda, onde se cria e engorda grande quantidade de rebanho em pequenas áreas. O domínio dessa técnica, por si só, evitaria os grandes desmatamentos. Ele recomendava aos órgãos de incentivos fiscais e de investimentos — Banco da Amazônia, Sudam — obedecer a essas exigências antes de aprovar qualquer projeto.

Nessa tarde, Chico Mendes não parecia apenas um sonhador. Lembrei-me da definição de Jane Villas Boas, uma antropóloga formada pelo Museu Nacional, no Rio, filha de fazendeiro e admiradora da causa dos seringueiros:

— A Reserva Extrativista está calcada em ideias de autonomia, que são fantasias de felicidade que talvez Galvez tivesse quando criou o Estado Independente, enfiado no Acre, sem indústria, sem comércio, sem exportar, quer dizer, era um espaço físico — a terra, as árvores, as pessoas — independente. O nível de sobrevivência não se sabia como ia ser. A Reserva Extrativista é este sonho também.

Jane queria dizer que, por ser sonho, o sonho de Chico não é necessariamente inviável, como acreditam seus adversários.

O risco de virar piegas

Fui ao Acre para passar quatro dias e, ao chegar, achei que ia morrer de tédio. Um mês depois, não tinha conseguido ver e fazer tudo o que o território de Galvez me oferecia. Curiosa terra essa em que o insulamento — metade do ano só se chega aqui de avião — forjou um povo cheio de si, mas não ensimesmado. Parece uma capital do Rio de Janeiro — como, aliás, sempre pareceu ser. Aquelas fotos do início do século, com os homens de colete e casimira e as mulheres de chapéu, não são mimetizações da Europa, mas influência carioca.

Dificilmente existe uma capital tão feia e tão suja quanto Rio Branco — e tão interessante, com tanto caráter e personalidade. Brinca-se dizendo que a identidade cultural do Acre foi mantida porque, com o fuso horário, a novela das oito aqui é às seis.

A acreanidade é um fato, e não é de hoje. Quem pensa que o Acre pode ficar besta porque é agora o centro do mundo — como disse para os fazendeiros Fernando Mesquita — não sabe que esse estado está acostumado com isso. Quase cem anos antes de Chico Mendes, o espanhol Galvez e o gaúcho Plácido de Castro já tinham criado uma questão internacional por esses 15 milhões de hectares.

— Ah, meu filho, estou acostumado com isso. Eu sou do tempo em que as modistas vinham da França — disse um velho morador de Xapuri, quando lhe perguntei sobre aquela invasão de forasteiros. Era uma semana como outra qualquer, em que haviam estado lá os produtores Luiz Carlos Barreto e Joffre Rodrigues, uma equipe da TV Globo, uma da TV italiana, outra da TV espanhola e uma segunda da TV Globo.

Também d. Lindaura, proprietária do Veneza Hotel, de doze quartos malcheirosos, não se abala.

— Quantos gringos, dona Lindaura?

— E *cumé queu* vou saber?

D. Lindaura, tão gorda e lerda quanto o rio Acre, não sabe que já existe uma coisa chamada registro de hóspedes.

Mas há algumas indicações: o livro de presenças da Fundação Chico Mendes, com quase mil nomes, é uma; a outra é a estatística da companhia de táxis aéreos Tafetal, que do dia da morte de Chico até o dia 20 de março, tinha feito 97 voos para a cidade natal de Armando Nogueira, Jarbas Passarinho e Adib Jatene — não certamente para vê-los.

— É evidente que isso abala psicologicamente as pessoas — diz a antropóloga Jane Villas Boas —, a serenidade de algumas pessoas dança.

Talvez até haja pouco deslumbramento por aqui — por enquanto. Uma manhã estávamos na sede do Sindicato dos Trabalhadores Rurais de Xapuri, uma casa que serve de sede e de residência de Júlio Barbosa, sucessor de Chico no sindicato, quando em cima da mesa vimos um envelope vindo da Alemanha. Alguém abriu. Era uma carta em português da Brot für die Welt pedindo que assinassem a folha anexa e devolvessem para que a entidade alemã pudesse enviar 10 mil dólares para o

Segundo Encontro dos Seringueiros. O Encontro havia terminado há quase quinze dias.

O governador do "centro do mundo", Flaviano Melo, queixa-se de estar entre dois fogos. De um lado, a direita do seu partido e a UDR, que não o perdoam por uma certa simpatia para com a causa dos seringueiros; de outro os sindicalistas, PT à frente — "o PT radical", como ele diz —, que o acusam de ter um discurso ecológico e uma prática contrária.

— Ele passa a mão na cabeça da esquerda e acaricia a direita — diz o empresário George Pinheiro sobre o governador, de quem é amigo.

Flaviano é um político moderno, inteligente, que procura superar a velha dicotomia esquerda × direita. Ele acredita que o verdadeiro choque hoje no Brasil é entre o arcaico e o moderno. Mas, na verdade, parece ter perdido dois bondes da História. O primeiro, por não ter feito uma sólida aliança com quem adorava alianças, Chico Mendes. O segundo por não ter empunhado a bandeira de Chico depois de sua morte. Se tivesse tido essa audácia, ele perderia para sempre o apoio dos fazendeiros, mas tinha tudo para, com uma causa como essa, enfrentar, por exemplo, Collor de Mello, com sua bandeira udenista.

O governador do Acre acha, porém, que tem hoje o que considera ser um grande trunfo — um terceiro bonde da História, que ele não está disposto a perder. É a rodovia que vai ligar não só o Acre ao Peru,* como o Atlântico ao Pacífico. É um projeto ousado cuja necessidade é difícil perceber do Sul. Contra a estrada, que ia ser financiada pelo Japão, existe, como

* Inaugurada em dezembro de 2002, a BR-317, conhecida como Estrada do Pacífico, liga Rio Branco a Assis Brasil, na fronteira com o Peru. Não se conseguiu realizar a ideia original, que era ligar os dois países através de Cruzeiro do Sul, pois a polêmica BR-364 teria um impacto ambiental muito negativo, além de passar por áreas de solo frágil por causa das fortes chuvas.

se sabe, a oposição dos Estados Unidos — e não só por razões ecológicas. A favor dela, ele tem um impressionante apoio da sociedade, inclusive do bispo dom Moacyr Grechi, que já declarou: "Ela é querida pelo povo". O que se pergunta é o como dessa estrada.

Para enfrentar a resistência ecológica estrangeira, Flaviano mobilizou sua jovem equipe de técnicos da Fundação de Tecnologia do Acre — a Funtac — e elaborou um detalhado plano, o Projeto Acre: humanizar o desenvolvimento. A partir de um inventário completo que as imagens de satélite fornecem sobre clima, relevo, drenagem e solo, o Projeto criou o zoneamento agroecológico, para evitar o que tem acontecido sempre que se constroem estradas na Amazônia: a ocupação desnorteada e a devastação desenfreada.

O plano prevê a ocupação econômica, social-ecológica e a viabilidade técnico-econômica da ligação rodoviária até o Peru. Um conselho consultivo, com representações de toda a sociedade, opinará.

— Queremos contar com a participação e o engajamento de todos — promete o governador.

Na semana passada, o presidente da Funtac e coordenador do plano, que envolve mais de cem técnicos, seguia de avião para percorrer quase todos os municípios do estado, como um "marreteiro, vendendo o plano". Com cromos, projetores, pastas, ele embarcou num bimotor:

— Vou conversar com os prefeitos, os vereadores, os moradores. Com esse plano de zoneamento, não há louco no mundo que não financie.

Flaviano acha que o asfaltamento da estrada — ela, na verdade, já existe, faltando apenas duzentos quilômetros perto da fronteira — poderia ser financiado pelo próprio governo brasileiro. São 300 milhões de dólares que, se Sarney bancasse, o ato valeria mais do que todas as suas afirmações retóricas de soberania nacional.

Mas falta a Sarney audácia, o que talvez esteja faltando também ao governador pelo menos no caso que fez do seu estado o "centro do mundo". Enquanto o país e o mundo continuam perguntando quem matou Chico Mendes, o governo parece satisfeito com a prisão de Darly Alves e seu filho, como se isso encerrasse essa história.

O símbolo do caso Chico Mendes hoje não é nem a Fundação que leva o seu nome, nem os seus presumíveis herdeiros políticos, mas um garoto de catorze anos, que só por acaso está, espera-se, a salvo — o que é pouco para a testemunha-chave do processo.

Até o dia 24 de abril, Genésio estava entre as grades, quatro dias na corretiva. De fato, só dei por falta dele no dia 23, domingo, quando a comissão ia realizar sua última rodada de reuniões para selecionar as propostas milionárias para o filme sobre Chico Mendes.

O agente de plantão da delegacia não sabia bem: "Deve estar por aí". De repente se lembrou:

— Ah, não, ele está na corretiva, porque na sexta-feira saiu com um soldado sem avisar a gente.

A corretiva era uma cela de cimento, pequena, suja, com um portão de grade. Lá dentro, deitado numa rede, estava Genésio. Perguntei o que tinha acontecido:

— O soldado Agildo me pegou de moto para dar umas voltas e eles me jogaram aqui.

Xapuri naquele domingo estava sem delegado e sem juiz, ambos em Rio Branco. Não havia ninguém para autorizar a libertação do garoto.

O escrivão e o agente de plantão tinham também suas razões:

— O senhor quer soltar ele porque não sabe o perigo que esse menino corre. Há muita gente má de olho nele — desculpou-se o escrivão.

Era a maneira que eles encontraram de garantir a segurança daquela testemunha que eles sabiam ser importante — só eles, pelo visto.

Genésio só pôde ser transportado para Rio Branco no dia 25, quando completava seu quarto dia de corretiva e seu quarto mês ali abandonado, entre a delegacia e o quartel da PM. Era também o dia em que Chico fora enterrado, quatro meses antes.

A entrega de Genésio ao coronel Roberto Ferreira da Silva, comandante da PM de Rio Branco, foi dramática.

O coronel Roberto falava de suas dificuldades, da criação da Guarda Mirim, onde ele reunia quatrocentos garotos que sem isso talvez fossem pivetes, das dificuldades, e mostrava sua satisfação em receber Genésio, que ainda por cima tinha o seu sobrenome. "Ele é meu sobrinho, meu afilhado, tratem dele direito", recomendou ao tenente.

De repente, a meu lado, explodiu algo como um vômito, um soluço ou uma convulsão. Era Genésio, parecendo chorar, mas sem lágrimas. Delicadamente, o coronel e o tenente se retiraram. A muito custo, Genésio disse:

— Eu não quero ficar, eles vão judiar de mim.

E começou a chorar. Durante quase uma hora, tentei explicar a Genésio que ele só tinha sido trazido para ali porque não havia mais perigo, ele não sofreria mais, ninguém mais o maltrataria.

Genésio, o durão, que não tinha medo, que se orgulhava de não chorar, desabava. Sem lenço, recorria à camiseta verde, que ficou encharcada. Genésio chorou naquela hora catorze anos.

Mais tarde voltei para vê-lo, ele estava bem; no dia seguinte de manhã estava melhor. À noite, coisa rara, já puxava conversa:

— Pensei que o senhor tinha ido.

— Que que você fez hoje?

— Vi televisão e li jornal.

— Você leu o jornal todo?

Mais do que televisão, ele gosta de ler o jornal todo. Quando lhe perguntei de que mais gostava, ele respondeu logo:

— Signo.

— E qual é o seu signo?

— Leão.

— E o que diz o seu signo hoje?

— Que eu preciso *se* controlar, que vai *miorar num* sei o quê, *se* esqueci.

— E você hoje já tá controlado?

— Já.

— Posso ir embora amanhã?

— Pode.

No dia seguinte de manhã ainda passei para ver Genésio. Ele estava fazendo um desenho numa folha de papel e me entregou o rabisco da cara de um homem. Embaixo estava escrito: "Zuenir Ventura — Genésio Ferreira da Silva". Era uma dedicatória.

Genésio estava correndo agora o sério risco de ficar piegas.

Impressões de viagem

Aqui estão algumas anotações feitas em forma de diário e que não foram publicadas na época. Elas começam no dia 29 de março de 1989, quando embarquei para Rio Branco.

*

Viajar para o Acre exige mais do que uma viagem para os EUA ou a Europa. Exige primeiro que se acorde às cinco da manhã para pegar um avião da Varig que vai pingando até as três da tarde (13h de lá): São Paulo, Campo Grande, Cuiabá, Rio Branco. Já a bordo, leio no *Jornal do Brasil* que Alberto Salém, representante da Warner Bros., chegaria hoje ao Acre. Se chegaria, certamente está nesse voo. Me dirijo ao comissário e peço para chamar o passageiro pelo microfone. Salém levou um susto. Me apresentei e conversamos sobre sua proposta de filmar a vida de Chico Mendes. Estava levando três filmes de sua companhia para convencer Ilzamar: *A missão, Gritos do silêncio* e *Um mundo à parte.* Ele não perde tempo: a 10 mil metros de altura, começa a negociar com Edílson Martins, meu companheiro de viagem, a compra de seu documentário sobre o líder seringueiro.

*

Chego a Rio Branco e me dirijo logo para o ginásio coberto onde estava se realizando o Primeiro Encontro dos Povos da Floresta. Enquanto aguardo pacientemente o crachá, já que havia mais jornalistas e fotógrafos do que seringueiros, assisto a uma cena curiosa. O índio Ailton Krenak está sendo entrevistado por uma televisão holandesa. Jovem, bonito e inteligente, é a imagem de um príncipe das selvas, com seus cabelos negros e compridos que de vez em quando joga para trás. Acho que a repórter, uma coroa loura, visivelmente fascinada, está se dizendo: "Ah, vou comer esse índio". Não por via oral, bem entendido.

*

Na noite seguinte à chegada, eu estava na mesa de um restaurante que mais parecia do Rio de Janeiro ou São Paulo, pela badalação, quando se aproximam Lula, Ricardo Kotscho e todo o *entourage* do PT. Lula foi apresentado a cada um de nós, apertou as mãos olhando para o outro lado e ficou apressando o assessor: "Vamos logo, Kotscho". Depois, no hotel, me queixei com meu amigo que o candidato que ele assessorava deveria ser mais bem-educado. A má vontade em função daquele cumprimento e um "tá fudido" alto e grosseiro me levaram a escrever no diário este comentário ressentido: "Falta-lhe a liturgia do cargo".

*

O terceiro dia do Encontro é das mulheres seringueiras, que criticam os maridos por serem machistas e ciumentos. Eles teriam herdado o moralismo tradicional dos cearenses, que colonizaram o Acre. Como exemplo, é citado o caso de um conhecido seringueiro, que certa vez impediu que um amigo lavasse a própria roupa quando era seu hóspede. "Deixa que minha mulher lava." Me lembrei da história quando mais tarde Ilzamar me falou do machismo de Chico Mendes.

*

Faixas pregadas no ginásio onde se realiza o encontro: "Olhai as mulheres do campo" (Rede acreana de mulheres e homens); "O Brasil não foi descoberto, o Brasil foi roubado" (Índio Kaimbé); "Eu sirvo de adubo para minha terra. Mas dela eu não saio" (Índio Pataxó); "Foram massacrados 45 milhões de índios no Brasil".

*

Diálogo com seu Aécio Silva, que seria o dono de um barco para alugar:

— O senhor teria um barco com motor para me levar com urgência ao seringal Nova Esperança?

— Teria.

— Que bom! Quanto custa?

— Mas eu não tenho, eu vendi o meu barco ontem.

— Mas o senhor disse que tinha!

— O senhor *num* perguntou se eu tinha, perguntou se eu teria. Eu disse que teria, *num* tenho.

Me senti em Portugal.

*

Ouvindo a preparação de um empate, me assanhei para acompanhar a aventura. Pergunto ao seringueiro ao lado:

— Posso ir?

— Pooode — respondeu com aquele jeito arrastado daqui.

— É longe?

— Nãoooo.

— Quanto tempo?

— Dois dias e meio de barco.

— !?!?!

— *Dispois* tem mais um dia *de* a pé.

Um dia em passos de seringueiro, porque restavam oitenta quilômetros de caminhada.

*

Enquanto o governador faz um discurso na cidade de Plácido de Castro, Edílson e eu, que o acompanhamos até lá entrevistando-o, deixamos a praça principal, andamos alguns metros, pegamos uma canoa e cinquenta metros depois estávamos na Bolívia. Interessante essa experiência para quem não é da fronteira. O lugarejo se chama Montividéu e parece uma Veneza pobre. Compramos baratinho um litro de Logan, o uísque do Collor, e voltamos.

*

À noite, Edílson leva para o meu quarto do hotel Elson Martins, que apesar do mesmo sobrenome não é seu parente, apenas amigo. Jornalista, diretor da TVE, é uma grande figura que sabe tudo do Acre. Quando viajou para Washington, Chico Mendes queria que Elson o acompanhasse, porque dizia ser ele o único jornalista em quem confiava. Abro a garrafa de Logan e ligo o gravador. Umas duas horas depois, decido permanecer no Acre e não continuar a viagem pela Amazônia como fora previsto. Por conselho de Elson. Ele acha que, apesar da grande presença da imprensa, o assassinato de Chico foi mal apurado. "Fica que você vai descobrir muita coisa."

*

Tenho dormido pouquíssimo. Deito tarde e às seis já estou de pé, numa boa. Estou num pique incrível. Não tenho tido tempo para nada. É conversa atrás de conversa, encontros, um agito infindável. Tá muito legal. De tédio não morro não.

*

Dormir ao relento na Amazônia é uma experiência inesquecível, quando nada para quem não pretende repeti-la jamais. Aconteceu quando o caminhão que nos conduzia de Xapuri para Rio Branco quebrou à noite na estrada e tivemos que esperar por socorro até as oito da manhã. Nenhum carro passou por ali durante todo esse tempo. Como cedemos a cabine para as moças que estavam conosco, tivemos que escolher entre dormir embaixo do carro ou na carroceria descoberta. Meu medo de cobra me levou lá para cima, onde experimentei o sereno amazônico, torrencial: em meia hora eu estava encharcado e assim fiquei até chegar o socorro, junto com um bendito sol.

*

Os ambientalistas correm o risco de repetir o que aconteceu com a esquerda dos anos 1960 ao subir o morro para ensinar cultura popular aos favelados. "Desconfio", disse Vianinha pouco antes de morrer, "que fizemos mais bem a nós mesmos do que aos favelados."

*

Manquitolando, H. Neto volta de mais uma investida infrutífera à fazenda de Alvarino. Penso que se trata de um ferimento de guerra. Ele reluta em dizer o que é: um "tumor" produzido, segundo ele, por ter comido jabuti. Acabo descobrindo o porquê do mistério. Não fica bem para Rambo confessar que carrega um prosaico furúnculo na coxa.

*

Andando de canoa pelo rio Acre, Júlio Barbosa vai identificando cada árvore que avista na floresta. Enumera uma, duas, três, dezenove espécies distintas, eu contei. Para mim eram todas iguais. Ele me consola: "Também eu, se olhar do mar aqueles prédios de Copacabana, vou dizer que é tudo a mesma coisa". De fato, aprender a olhar para uma floresta heterogênea, com centenas e até milhares de espécies diferentes que tendem a assemelhar-se, é como aprender a orientar-se numa cidade grande.

*

A floresta é escura e ameaçadora. Para disputar a luz do sol, as árvores atingem alturas inacreditáveis para espalhar sua folhagem. Parece que só 10% da luz solar chega ao solo.

*

Alguém me explica que a intensa atividade sexual dos seringueiros é devida ao fato de que as paredes divisórias das casas não vão até o teto. As crianças crescem ouvindo o que se passa no quarto dos pais. De tudo isso, eu só pude confirmar a altura das divisórias.

*

Quinta-feira, Altino Machado, um amigo que fiz aqui no Acre, me telefona para dizer que está marcada minha ida ao Daime no domingo. Volta a recomendar abstinência sexual e alcoólica 48 horas antes, sugere que eu reze e que vá com o pensamento positivo. "Se você for merecedor", ele me diz com sua autoridade de sacerdote, "terá miração e botará seus males para fora." Fiz tudo que Altino mandou, fui de manhã para a concentração com ele, passei um dia ouvindo todo aquele belo hinário com o maior respeito e à noite ingeri uma quantidade de chá que se fosse de qualquer bebida alcoólica, até cerveja, me deixaria pelo menos alegre. E nada de miração. No dia seguinte, no bar da moda, dois gringos se vangloriavam de suas incríveis visões com o Santo Daime. Fiquei humilhado. Vai ver não fui merecedor. Ou então, como disse alguém querendo me intrigar com minha mulher, eu não respeitei uma das abstinências.

*

Consigo uma bicicleta para dar um passeio contra o vento e me livrar um pouco dos mosquitos do fim da tarde. Eis quem, de repente, encontro na cidade: a repórter Glória Maria. Ao vivo. Achei que era uma miração.

*

Plagiando Euclides: o seringueiro é antes de tudo um forte. Talvez por um processo de mimetismo, ele às vezes se parece com a seringa, que exige ser sangrada para fazer jorrar sua riqueza. É só arranhar com ternura essa sensibilidade aparentemente rude para ver jorrar uma insuspeitada seiva de afeto e emoção.

PARTE II

O CASTIGO

Dois anos depois

Algumas semanas após deixar Genésio no quartel da PM em Rio Branco, recebi no Rio um telefonema de seu comandante, o coronel Roberto Ferreira da Silva, comunicando que a vida do menino estava em perigo. Havia um plano para sequestrá-lo, e nem a Polícia Militar nem o Exército tinham como garantir sua integridade. A sugestão era que o garoto saísse de lá e ficasse sob minha tutela. Só assim, bem distante, estaria seguro. Não tive como recusar.

Genésio veio, passou algum tempo em minha casa e em seguida, por precaução, foi estudar em regime de internato num colégio de religiosos numa cidade próxima. Apenas minha família e eu conhecíamos o endereço. Nos fins de semana, alternávamos: ou íamos até lá ou ele vinha para nossa casa.

Dois anos depois, convocado como testemunha, Genésio pediu que, além de mim, também minha mulher o acompanhasse na viagem para o julgamento. Fomos os três para Rio Branco e de lá para Xapuri, onde o *Jornal do Brasil* alugara uma casa para servir ao mesmo tempo de redação e pousada para nós: Mary, eu, o repórter Marcelo Auler e o fotógrafo Olavo Rufino, que o jornal mandara para reforçar a cobertura. Contaríamos ainda com a colaboração do correspondente no Acre, Sílvio Martinello. Genésio hospedou-se em outro lugar, incomunicável, sob proteção da Justiça.

O garoto foi a grande atração do julgamento. Com uma coragem que impressionou o júri, ele confirmou o que sabia, e o seu depoimento acabou sendo decisivo para a condenação de Darly e Darci. Saiu como herói: com convites para estudar nos Estados Unidos, oferecimento de bolsas e notícia na televisão informando que ele já estava lá em conforto e segurança. Desligadas as câmeras, nada disso aconteceu. Genésio cumpriu o seu dever, mas quase ninguém cumpriu suas promessas.

O julgamento dos principais réus — Darci Alves Pereira, 23 anos, acusado de autoria da morte, e seu pai Darly Alves da Silva, 56 anos, suspeito de ser mandante do crime — começou às oito horas (11h de Brasília) do dia 12 de dezembro de 1990, quase dois anos ou 720 dias depois do assassinato de Chico Mendes.

Mais do que um debate em busca da verdade, "o julgamento do século", como estava sendo chamado com exagero amazônico, corria o risco de se transformar num show de baixo nível, se fossem confirmadas as ameaças dos advogados de defesa. Admitindo que teriam poucas chances de evitar a condenação de seus clientes, eles pretendiam atuar na base da rasteira, para usar a expressão atribuída a um deles, Rubens Lopes Torres.

O seu colega de causa, João Lucena Leal, ex-agente da Polícia Federal citado quatro vezes no livro *Brasil: nunca mais* por maus-tratos a presos políticos, prometia manchar a imagem da vítima. "Vou provar que Chico Mendes não era esse santo que a imprensa pinta", disse, ameaçando acusá-lo até de tentativa de homicídio. Mais do que defender os réus, a defesa estava decidida a condenar a vítima.

O juiz de Xapuri, porém, reconhecido pelos dois lados como enérgico, advertira: "As partes vão ter amplo direito, mas ninguém vai *abagunçar* o julgamento, não". Foi graças também a seu empenho que o caso não se arrastou. Se não chegou a julgamento em tempo recorde, chegou pelo menos abaixo da média nacional de cinco anos.

O processo apresentava falhas, principalmente na fase do inquérito policial, evidenciando que, apesar da repercussão, faltou rigor. Havia controvérsias ou omissões sérias, como o descaso da polícia em relação ao material encontrado atrás do nº 487 da rua Dr. Batista de Moraes, onde morava Chico Mendes. Os objetos — dois maços de cigarros Charm, cinco latas de salsichas, dois garrafões de cinco litros — podiam denunciar a presença de mais de uma pessoa na tocaia. Isso sem falar no desinteresse da polícia em investigar a fundo os nomes que o líder seringueiro antecipara como responsáveis por sua morte.

De qualquer maneira, as 1632 páginas distribuídas em oito volumes continham evidências suficientes para os sete jurados chegarem à condenação dos réus. No processo trabalharam cinco juízes, três promotores, ajudados por cinco advogados de acusação, e quatro advogados de defesa. Mais de cem pessoas estiveram envolvidas nos autos.

Na fase de investigações, atuaram sete delegados, inclusive um de São Paulo, Eduardo de Melo Neto. Nas buscas de provas técnicas, colaboraram nove peritos, entre eles dois da Unicamp, a Universidade de Campinas. O principal trabalho da equipe paulista foi obter em vídeo a confissão de Darci.

Durante os quatro dias de julgamento pôde-se assistir ao emocionante espetáculo da Justiça chegando ao Acre, depois de décadas de impunidade, para arbitrar o choque entre o avanço que significava Chico Mendes e o atraso que representava a família Alves da Silva, a luta entre o Brasil moderno e o arcaico, entre civilização e barbárie.

Nas páginas que se seguem há, além da reconstituição do crime, uma entrevista com Darly no presídio, o relato indiscreto de suas relações com quatro mulheres, cenas do julgamento, a condenação e um perfil daquele que, com Genésio, foi o protagonista da segunda parte de nossa história: Adair José Longuini, um juiz de direito.

A confissão

"Quando eu vi ele lá, só levei a arma e disparei"

Quando, quatro dias depois da morte de Chico Mendes, Darci Alves Pereira apresentou-se à polícia confessando-se autor do crime, os responsáveis pela investigação suspeitaram de que se tratava de uma farsa. Até o delegado Romeu Tuma, que estava no Acre acompanhando o caso, duvidou daquela "espontaneidade".

Para desfazer as dúvidas, foram convocados dois conhecidos peritos da Universidade de Campinas — os médicos-legistas Nelson Massini e Fortunato Antônio Badan Palhares — e o então delegado de Homicídios da Secretaria de Segurança de São Paulo, Eduardo Augusto K. de Melo Neto.

Entre os dias 29 de dezembro de 1988 e 1º de janeiro de 1989, os três, junto com colegas do Acre, interrogaram Darci e acompanharam a reconstituição que ele fez do crime. O resultado foi um vídeo de seis horas e um trabalho que o próprio juiz Adair Longuini considerou "impecável".

Dois anos depois da reconstituição, o delegado Melo Neto declarou: "Me sinto seguro em dizer que o Darci foi o autor do disparo. A reconstituição, eu considero perfeita". Como desconfiavam da versão de Darci, o delegado e os peritos prepararam todas as armadilhas que pudessem levá-lo a alguma contradição ou incoerência. Em vão: "A sua versão é absolutamente coerente", garantiu Melo Neto.

Dr. Eduardo (*Augusto K. de Melo Neto*): Darci, para começarmos, um bate-papo. Começa contando sua história, como e quem começou tudo. Fala alto, pode ficar tranquilo, sossegado, à vontade.

Darci: *Foi* eu mesmo que fiz. O homem vivia ameaçando meu pai. Todo dia na imprensa, no rádio. Todo dia. Já estava com oito meses. A hora que a gente estava na cidade, a polícia judiava de nós, prensava. Foi na fazenda, lá judiava dos peões. Sempre provocando nós.

Dr. Eduardo: Sei. E isso começou quando?

Darci: Desde o começo do ano que começou.

Dr. Eduardo: Começo do ano? Deste ano [1988]? Vocês estão aqui no Acre desde quando?

Darci: Está com uns quinze anos.

Dr. Eduardo: Quinze anos. E só no começo deste ano é que ele começou a incomodar seu pai?

Darci: Foi. Foi por causa de um seringal que meu pai comprou.

Dr. Eduardo: É? Seringal Cachoeira?

Darci: É. Foi. Quando ele descobriu que meu pai tinha um seringal, ele reuniu os seringueiros. Reuniu aí umas cem pessoas e não deixou meu pai tomar posse do seringal. E do lado tinha uma cachoeira...

Dr. Eduardo: E me diz uma coisa. Esse seringal, ele não deixou seu pai tomar posse como? O que ele fez?

Darci: Naquele tempo meu pai tinha trabalhador lá na fazenda. Tinha uns cinco seringueiros, e meu pai chamou eles para ir cortar seringa. Então, quando ele descobriu que meu pai ia levar os seringueiros para ir lá, ele reuniu a turma para não deixar. Se você entrar lá, ele matava. Daí meu pai ficou sabendo e não foi.

[...]

Dr. Eduardo: Seu pai já tinha fugido antes do Chico morrer?

Darci: Já. Já está com uns três meses mais ou menos. Antes dessas eleições, bem antes.

Dr. Eduardo: Antes da eleição seu pai sumiu?

Darci: Quando ele ficou sabendo, não sei por intermédio de quem, ele ficou sabendo que tinha uma ordem de prisão para ele. Aí, ele pegou e foi embora, para São Paulo. Depois, de lá para cá, eu comecei a ficar revoltado, a polícia andando lá em casa todos os dias. Um dia eu vi uma tia minha desmaiar por causa que a polícia pegou um menino dela e saiu sozinho para o mato com ele.

Dr. Eduardo: E aí?

Darci: Bom, aí começou a revolta e eu cometi o crime.

Dr. Eduardo: Você foi se revoltando e um belo dia você resolveu fazer isso?

Darci: Foi.

Dr. Eduardo: E quando foi que você resolveu fazer isso?

Darci: No mês de dezembro.

Dr. Eduardo: No mês de dezembro? Você deve ter tido alguma coisa que te levou a fazer isso. Há um ano estava havendo o problema, e de repente, de uma hora para outra, deu estalo. O que fez dar esse estalo em você?

Darci: Eu estava lá, trabalhando na fazenda. Nós temos umas terras perto da serra, e eu estava fazendo uma cerca. E eu não tinha carro para ir lá, sempre andando a pé. E eu sentia a falta de meu pai. Eu pensava assim: "Eu estou andando aqui por causa que meu pai não está aqui, por causa do Chico

Mendes". Aí eu coloquei aquilo na cabeça. Fiquei só imaginando que a culpa toda era dele, do Chico Mendes. Daí eu vim para a fazenda; fiquei lá trabalhando, mexendo com o gado, trabalhando lá. Depois do almoço, meio-dia mais ou menos, eu soltei o cavalo e fui para o barraco. Eu sentei lá um pouco, na porta. Aí veio aquela ideia de fazer o serviço.

[...]

Dr. Eduardo: Darci, vamos esclarecer as coisas. De manhã você acordou, pegou o cavalo, depois soltou, e aí?

Darci: Aí já era meio-dia.

Dr. Eduardo: E ao meio-dia você resolveu fazer o quê?

Darci: Aí eu resolvi fazer o crime.

Dr. Eduardo: Resolveu fazer o crime?

Darci: É.

Dr. Eduardo: O dia que você resolveu fazer o crime foi o dia que você matou?

Darci: Foi.

Dr. Eduardo: Foi? Ah, agora estou entendendo! De manhã você trabalhou, soltou o cavalo ao meio-dia, almoçou. A que horas morreu o Chico?

Darci: Não sei. Mais ou menos às seis e meia.

Dr. Eduardo: Seis e meia que ele morreu?

Darci: Por aí.

Dr. Eduardo: Que horas você soltou o cavalo?

Darci: Mais ou menos umas doze horas.

Dr. Eduardo: Doze horas. Então, entre você soltar o cavalo e o Chico morrer, tem uma diferença de seis horas. Certo?

Darci: Certo. Mais ou menos das doze horas às seis e meia.

Dr. Eduardo: Às doze você soltou o cavalo. Aí você sentou na sua casa. Que horas você resolveu que ia fazer isso?

Darci: Eu fiquei lá acho que uns vinte minutos, mais ou menos. Aí eu saí, peguei a arma que eu já tinha.

Dr. Eduardo: Que arma era?

Darci: Vinte, espingarda vinte.

Dr. Eduardo: Espingarda vinte. Já tinha munição, tudo?

Darci: Tinha. Aí peguei a arma e fui.

Dr. Eduardo: Como é que era essa munição?

Darci: Cartucho mesmo.

Dr. Eduardo: Então você saiu para matar o Chico mais ou menos que horas?

Darci: Mais ou menos perto de uma hora.

Dr. Eduardo: Uma hora? Quanto tempo tem da sua casa até a cidade do Chico, Xapuri?

Darci: Eu calculo uns vinte e cinco quilômetros.

Dr. Eduardo: Vinte e cinco quilômetros. Você foi para lá como?

Darci: A pé.

Dr. Eduardo: Vinte e cinco quilômetros a pé. Você está acostumado a andar?

Darci: Estou.

Dr. Eduardo: Você está acostumado. Você ia para Brasileia, não é?

Darci: Não. Para lá eu ia de ônibus. Mas andava quinze quilômetros a pé para chegar no ponto.

Dr. Eduardo: Está bem. Quanto tempo mais ou menos você demora para andar vinte e cinco quilômetros? Quanto você demorou nesse dia?

Darci: Não tenho base, não.

Dr. Eduardo: Você não usa relógio?

Darci: Não. Faz tempo que eu não uso relógio.

Dr. Eduardo: Mas você está acostumado com o dia. Você sabe se basear pelo dia?

Darci: Sei.

Dr. Eduardo: Em quanto tempo mais ou menos você chegou? Estava claro ainda?

Darci: Estava escurecendo a hora que eu cheguei lá.

Dr. Eduardo: Ah, a hora que você chegou já estava escurecendo?

Darci: Já.

Dr. Eduardo: Mais ou menos que horas começa a escurecer aqui no Acre?

Darci: Cinco e meia começa a escurecer.

Dr. Eduardo: Com base que já eram cinco e meia, que horas mais ou menos você chegou lá?

Darci: Não no local, mas mais retirado uns mil metros eu cheguei às cinco e meia. Já estava aproximando da cidade.

Dr. Eduardo: Então quer dizer que quando você estava se aproximando de Xapuri já eram cinco e meia.

Darci: É.

Dr. Eduardo: Que horas morreu o Chico?

Darci: Era umas seis e meia, mais ou menos.

Dr. Eduardo: Nesse espaço de tempo, entre você chegar na cidade e a morte do Chico, onde você estava?

Darci: O que o senhor quis dizer?

Dr. Eduardo: Veja: você chegou às cinco e meia. O Chico morreu às seis e meia. Tem uma hora aí de diferença. Onde você foi?

Darci: Eu fiquei um pouco de tempo afastado, na estrada. Estava num local chamado Cobal.

Dr. Eduardo: Cobal, o que é?

Darci: É órgão do governo.

Dr. Eduardo: É o quê? Um mercado?

Darci: É. Um mercado. Eu fiquei lá até escurecer um pouco. Aí eu cheguei até lá.

Dr. Eduardo: A Cobal fica perto da casa do Chico?

Darci: Não. Fica uns mil metros.

Dr. Eduardo: Aí você deu um tempo, esperou escurecer mais, não é isso?

Darci: Aí eu toquei pra lá.

Dr. Eduardo: Tocou para lá, e como é que aconteceu a coisa?

Darci: Aí eu cheguei lá. Foi a hora que o sino da igreja bateu.

Dr. Eduardo: A hora que você chegou foi a hora que você escutou o sino da igreja bater? Bateu que horas?

Darci: Devia ser umas seis horas.

Dr. Eduardo: Seis horas? E aí?

Darci: Aí eu fiquei lá na base de uns vinte minutos ou trinta. Aí cometi o crime.

Dr. Eduardo: Onde você estava na hora que você atirou? Você se escondeu para atirar?

Darci: Eu estava atrás de um pé de coco. Dentro do quintal dele é que fica.

Dr. Eduardo: Você sabia que ele estava com segurança, não sabia?

Darci: Não sabia, não senhor.

Dr. Eduardo: Ele não andava assim com um pessoal perto dele?

Darci: Na rua eu vi ele andar. Várias vezes eu vi. Mas, na casa dele, eu não sabia, não.

Dr. Eduardo: Não te deu tremedeira? Não ficou nervoso?

Darci: Não.

Dr. Eduardo: Tranquilo, chegou lá...

Darci: Tranquilo também não. Eu estava nervoso.

Dr. Eduardo: Ô, meu, vamos ser francos. Não te deu aquela tremedeira, aquele nervoso?

Darci: Nervoso deu, sim, senhor. Se não tivesse dado nervoso, eu não tinha feito isso.

Dr. Eduardo: Você ficou atrás do coqueiro esperando? Sabia que ia sair?

Darci: Não sabia, não.

Dr. Eduardo: Ficou esperando lá o quê?

Darci: Quando eu cheguei lá, tinha uma lâmpada do lado da casa dele, e tinha uma porta. Aí eu imaginei que ele teria que sair lá fora. Isso aí, sei lá como eu pensei.

Dr. Eduardo: Essa história aí eu não conheço. Me conta com detalhes como foi, a partir do momento que você chegou. De onde você atirou? Como você atirou? Quantos tiros você deu?

Darci: Bom, eu fiquei atrás do coqueiro. Eu cheguei, tinha lá um portão. Eu entrei no quintal dele. E aí eu vi o pé de coco, me encostei lá e fiquei parado lá, aguardando. Ele logo em seguida saiu.

Dr. Eduardo: Quantos tiros você deu?

Darci: Um só.

Dr. Eduardo: Quantos trancos tem a arma?

Darci: Um só.

Dr. Eduardo: E nem conferiu se ele foi baleado?

Darci: Não. Disparei a arma e saí correndo.

Dr. Eduardo: Correu para onde?

Darci: Corri para o meu barraco.

[...]

Dr. Eduardo: Tem um probleminha aí. Parece que tinham duas pessoas correndo. Você e um outro.

Darci: Não, senhor. Era eu só.

Dr. Eduardo: Não.

Darci: Era eu sozinho. Só eu sozinho. Estava correndo.

Dr. Eduardo: Darci, você não tem peito pra fazer isso sozinho!

Darci: Mas na hora da raiva eu tenho.

Dr. Eduardo: Você não tem peito pra fazer isso sozinho!

Darci: Mas eu tive. Posso não ter agora, mas na hora eu tive.

Dr. Eduardo: Por que você diz que agora você pode não ter? Vamos ser francos, papo de homem. Mas você não tem peito para fazer isso!

Darci: Mas na hora da raiva...

Dr. Eduardo: Mas você não estava com tanta raiva assim. Vamos ser francos, você não estava com tanta raiva assim. Afinal de contas, você pode ficar com raiva no dia que os caras fizeram um empate. Não é assim que chama? Seu pai mandou cortar as seringueiras. Aí eu concordo que você poderia ficar com raiva. Mas nesse dia você não estava com tanta raiva assim, Darci. Você não teve peito para fazer isso.

Darci: O dia inteiro mexendo com gado, você fica com bastante raiva, sim.

Dr. Eduardo: Por causa do gado?

Darci: Por causa de mexer com o gado, passa muita raiva.

Dr. Eduardo: Mas, então, você ficou com raiva aquele dia porque você mexeu com gado. É isso?

Darci: Eu já estava com raiva. Aí eu fiquei mais revoltado ainda.

Dr. Eduardo: Darci, negativo, você não teve peito para fazer isso!

Darci: Tive, sim senhor.

Dr. Eduardo: Só se você estava com outro cara. Sozinho você não teve peito.

Darci: Tive.

Dr. Eduardo: Darci, vamos falar sério. Com quem você estava?

Darci: Eu estava só, mesmo. Sozinho.

Dr. Eduardo: Nem Deus estava com você?

Darci: Às vezes podia estar, não sei. Podia até estar.

[...]

Dr. Nelson (*Massini*): Com que roupa você estava?

Darci: Com uma camiseta, uma calça.

Dr. Nelson: Que tipo de camiseta?

Darci: Uma camiseta azul.

Dr. Nelson: Tênis?

Darci: Tênis.

Dr. Nelson: Essa roupa está lá ainda?

Darci: Está aqui.

Dr. Nelson: Você não levou mais nada com você? Uma mochila, alguma mala?

Darci: Eu levei.
Dr. Nelson: Levou o quê?
Darci: Uma capa de chuva.
Dr. Nelson: De que cor?
Darci: Preta.
[...]
Dr. Eduardo: Às seis horas da tarde, aqui em Xapuri, como está a claridade?
Darci: Está escuro.
Dr. Eduardo: Você conhecia o Chico pelos jornais, não é isso?
Darci: Não. Eu já tinha visto ele.
Dr. Eduardo: Já tinha visto ele. Mas, uma vez ou outra?
Darci: Já tinha visto ele na rua.
Dr. Eduardo: Então já conhecia bem ele?
Darci: Já conhecia.
Dr. Eduardo: Como é que ele era?
Darci: Gordo.
Dr. Eduardo: Gordo? O que mais?
Darci: Só que eu não tinha prestado atenção nele. Sabia que ele tinha bigode.
Dr. Eduardo: Gordo, tinha bigode. Me descreve ele.
Darci: Não consigo explicar.
Dr. Eduardo: Não consegue explicar como ele era?
Darci: De ninguém. Nem de meus irmãos posso explicar.
Dr. Eduardo: E como é que você, no escuro, logo identificou ele?
Darci: Na hora lá, na hora que ele abriu a porta, clareou tudo.
Dr. Eduardo: Clareou as costas dele?
Darci: O rosto dele também.
Dr. Eduardo: O rosto?
Darci: É.
[...]
Dr. Eduardo: Você precisou fazer pontaria?

Darci: Não, não fiz pontaria.

Dr. Eduardo: E como é que você fez para atirar? Mostra pra mim como é que você estava. Fica de pé. Você estava de pé? Estava sentado na hora que você atirou? Como é que você estava?

Darci: Estava sentado.

Dr. Eduardo: Sentado onde?

Darci: Numa pilha de tijolo, beirando o coqueiro.

Dr. Eduardo: A pilha, que altura tinha, mais ou menos?

Darci: Não deu pra calcular.

Dr. Eduardo: Mas ficava na altura do seu joelho? Na altura da cadeira? Mais baixo? Com a perna esticada?

Darci: Com a perna esticada.

Dr. Eduardo: E aí? Mostra como você fez para atirar.

Darci: Eu já estava com a arma assim, nessa posição.

Dr. Eduardo: Mirando onde?

Darci: Eu não estava mirando, não. Estava com ela assim. Segurando. Assim. Quando eu vi ele lá, só levei a arma e disparei.

[...]

Dr. Palhares (*Fortunato Antônio Badan*): E você, no pé de coco, o que você conseguiu ver?

Darci: Só mesmo a casa. E a hora que ele abriu a porta, que eu vi ele.

Dr. Palhares: Tinha luz na casa?

Darci: Tinha.

Dr. Palhares: Onde estava a luz?

Darci: Na lateral da casa.

Dr. Palhares: Você escutou vozes?

Darci: Escutei.

Dr. Palhares: O que você escutou?

Darci: Só escutei falando. Mas não deu pra entender, não.

Dr. Palhares: Você sabia que a mulher dele estava lá?

Darci: Não.

Dr. Palhares: Nem as crianças? Você não escutou vozes de crianças?

Darci: Não.

[...]

Dr. Palhares: Quando foi que você vislumbrou alguém na porta e atirou?

Darci: Logo que ele abriu a porta, eu já vi que era ele.

[...]

Dr. Palhares: Como ele estava vestido?

Darci: Não sei como estava, não. Para mim, ele estava com uma toalha no ombro. E estava com uma lanterna na mão.

[...]

Dr. Palhares: Se estava escuro, ele estava com uma lanterna na mão, é mais uma prova que estava escuro. Como você conseguiu, já que você disse que estava escutando vozes, como você conseguiu identificar que era ele e não outra pessoa? Se o seu tiro foi de acordo com o que você nos disse: um tiro imediato. Viu e atirou.

Darci: Quando ele abriu a porta, o foco da lâmpada da casa dele bateu no rosto dele. Aí deu pra reconhecer que era ele mesmo.

Dr. Palhares: O que te chamou a atenção na fisionomia dele?

Darci: O rosto dele mesmo.

[...]

Dr. Eduardo: Me diz uma coisa. Quando você vai caçar, já que você está acostumado a atirar com essa arma, para ter certeza que você vai acertar, como você empunha a arma?

Darci: Nessa posição mesmo.

Dr. Eduardo: Sim. Mas você não faz mira?

Darci: Não.

Dr. Eduardo: Você atira em caça sem mirar?

Darci: É, porque não dá tempo de mirar, não.

[...]

Dr. Eduardo: Me diz uma coisa. Você disse que atirou sentado...

Darci: Foi.

Dr. Eduardo: Só apontando em direção do cara, sem fazer mira nenhuma? É assim que você atira em qualquer caça que você vai caçar?

Darci: É, qualquer caça.

Dr. Eduardo: Você costuma matar as caças?

Darci: Algumas vezes, onça. Já matei onça. Onça é um bicho perigoso.

Os réus

Uma tarde no presídio de Rio Branco em companhia dos suspeitos

Seis meses antes do julgamento, no dia 21 de julho de 1990, Rubens Lopes Torres, um dos advogados dos réus no processo da morte de Chico Mendes, concordou que o diretor da TV Aldeia, de Rio Branco, Elson Martins, e eu entrevistássemos Darly Alves da Silva, então presumível mandante do crime, preso no presídio Francisco de Oliveira Conde em companhia de seus filhos Darci Alves Pereira e Oloci Alves da Silva. Os dois últimos cumpriam a sentença de doze anos a que haviam sido condenados em outro processo.

Na estrada empoeirada e esburacada que leva à penitenciária, entre solavancos que jogavam nossas cabeças contra o teto do carro, um começo de conversa:

— Doutor Rubens, o senhor é o goleiro diante do pênalti. Ninguém poderá chamá-lo de frangueiro por causa da condenação de Darly e Darci.

Ele gosta da imagem e vai usá-la daí para a frente. “Mas

agora o que eu quero é retardar a cobrança", anuncia. Naquela época, ele queria "livrar Darly do júri", alegando que é inocente e que não há nada que o comprometa no processo.

— Nem Genésio?

— Esse Genésio não saiu daqui porque estava ameaçado. Ele saiu para ser orientado para o julgamento. Mas nós sabemos onde ele está — respondeu.

Era prudente não desmenti-lo.

Chegamos ao presídio às 13h30 de um sábado inacreditavelmente frio, graças a uma súbita inversão térmica, a friagem, que ocorre raras vezes por ano no Acre. De um dia para o outro, os termômetros caíram quase trinta graus. O advogado calculou que devia estar menos de dez graus, e principalmente o meu nariz acreditou, enquanto meus olhos duvidavam daquela paisagem incongruente: pessoas agasalhadas, tiritando de frio, cobertas pela poeira tropical. Não podia ser a Amazônia.

O dr. Rubens nos conduziu para a primeira sala através de um corredor cheio de portas — cada qual abrindo para celas. Um policial de uns quarenta anos, de óculos Ray-Ban, vestido com um colete, a cara e a roupa de um tira de seriado de TV, nos foi apresentado como oficial de dia.

— Este aqui é o diretor da TV Aldeia.

— E este aqui é o senhor Boaventura, do, do... — errava o sobrenome e não se lembrava do nome do jornal.

Da outra parte, além do "muito prazer", nenhum pedido de identidade, nenhuma pergunta, nada de revista. Apenas um sinal com a cabeça indicou a um subalterno que ele deveria buscar o preso.

Menos de um minuto depois, Darly apareceu. Vinha com uma toalha enrolada no pescoço como se fosse uma improvisada manta. Uma camisa de mangas compridas arregaçadas e aberta no peito, porém, desmentia que ele estivesse com frio. O peito descoberto ficou logo explicado: era para exibir quase com orgulho uma úlcera inchada. Ele colocava o dedo e oferecia o pequeno caroço a quem quisesse apalpar.

Chegou num passo tão rápido que parecia saltitar. A sua magreza lembrava um galho seco a que se tivesse enrolado uma folha de pele curtida pelo sol que mal cobria o esqueleto. Se houvesse o movimento brusco da ponta de um osso, haveria o risco de furar a pele. Era uma lagartixa ereta, se esse bicho não fosse inofensivo.

Sobre o galho seco, a cabeça coberta por um boné de jóquei. Na cara, um embrulho malfeito de pele deixara como marca alguns vincos e duas concavidades no lugar destinado às bochechas. Os óculos, de vidros retirados talvez de um fundo de garrafa, custavam a se equilibrar naquele rosto que mais parecia uma caveira. Pelo menos um dos vidros era inútil. A primeira coisa que me diz, depois de oferecer a úlcera à contemplação, já que me recusei a apalpá-la por nojo, fingindo falta de coragem, é que o olho direito era lesado. Tinha operado com laser em Belo Horizonte, na clínica do dr. Hilton Rocha, que ele sabia ser um dos "maiores médicos do mundo".

"Eu não gosto de dizer, mas não enxergo nada desse olho", informou, quando já entrávamos numa sala ocupada apenas por uma mesa comprida separada da parede por um banco. A sua vaidade parece satisfeita quando digo que também sou portador de glaucoma, que é a "alta pressão" a que se referiu. Só que a dele deve ter sido aguda, daí a parcial cegueira.

A troca de diagnósticos distendeu o encontro, que começou com uma justificativa imprópria e comprometedora do advogado. Quando Darly chegou à sala de entrada com os dois filhos, ficou desagradavelmente surpreso com as visitas inesperadas.

— Não te avisei, Darly, porque esses senhores vieram te ouvir para dizerem onde está a verdade, para ajudarem a gente.

Não era bem assim, protestaram os visitantes, ninguém estava ali para condenar ninguém, mas muito menos para defender. Quando chegamos à sala reservada à entrevista, a correção foi repetida, mas Darly não estava interessado em ouvi-la.

A primeira pergunta tinha sido preparada com cuidado. Ingenuamente, achamos que Darly poderia fazer alguma revelação diante da seguinte questão, cuidadosamente ensaiada de manhã, às onze horas, logo depois de confirmada a entrevista pelo advogado:

— Muita gente queria matar Chico Mendes e só o senhor está pagando por isso. O senhor não acha que foi abandonado por seus amigos?

Darly começou admitindo ser de fato um "bode respiratório", mas nas três horas em que falou, numa rotação que às vezes tornava quase incompreensível o que dizia, fugiu de todas as armadilhas para comprometer alguém. Era uma lição decorada que provavelmente será repetida no julgamento. Disse que nunca teve nada contra Chico Mendes, apresentou os "meninos", seus filhos, como santos, declarou o tempo todo que será absolvido "por falta de provas" e, de repente, chegou a anunciar com a mão no peito uma "forte dor no coração" — um ator, canastrão, mas ator. Não por acaso os advogados de acusação esperam que Darly dê um show quando estiver sendo julgado. No Paraná, conta-se, ele tinha a mania de assistir a julgamentos. Conhece todos os macetes.

Ele era um objeto mais para se observar do que para se ouvir. E a observação não conseguia ser isenta. Aquele cheiro de corpo mal lavado, aquele mau hálito produzido pela úlcera ou pela dentadura mal instalada, ou pelas duas, provocava uma repulsa que deixava de ser um sentimento para se transformar numa sensação física. Era insuportável aquele ruído de lábios que, presos por uma gosma branca, se descolam com dificuldade a cada movimento da boca.

Ele estava ali vivo, e Chico, que deveria ter todos os deuses a seu favor, não recebeu a menor ajuda. Decididamente, a justiça divina era falha, a julgar por aquela sala. A esperança era a justiça do dr. Longuini, que só ali já tinha mandado dois criminosos para a cadeia: Darci e Oloci. Aliás, nas poucas vezes que ousaram interromper o pai, foi para reclamar que tinham sido condenados a doze anos de prisão no processo do cerco a seringueiros na sede do IBDF, ocorrido em junho de 1988. "Doze anos! Para cada um!", enfatizou Oloci, como se alguém pudesse achar que o juiz de Xapuri lhes dera os doze anos para eles dividirem entre si.

Dos três Alves ali dentro, o que mais parecia credenciado a matar era Oloci — Oloci, o sestroso, em cujas mãos, se se pusesse um violão, em lugar de espingarda, ele poderia subir num palco para um show de música country. Elson Martins comentou na saída que ele era o mais urbano, querendo dizer com isso que se tratava de um bandido em quem a crueldade era mais da cidade do que da roça. Não só a crueldade, mas a esperteza.

Darci, ao contrário, com aquela vozinha débil, quase inaudível, de pé, com a perna direita apoiada na quina da mesa, parecia um menino amedrontado. Se Darly confirmava a teoria lombrosiana, o filho Darci ilustrava a sua falência. As fotos não dizem como ele é. Seu olhar chega a ser terno. É daqueles rapazes que se aceita tranquilamente como filho ou genro. Diante de um perigo, ninguém teria dúvida em correr para ele. Ficou o tempo todo como uma criança bem-comportada, mexendo na alça da máquina fotográfica. De vez em quando olhava como se estivesse com medo de ser chamado à atenção.

Quando mais de uma vez foi convidado a tirar uma foto, que era fácil, só apertar um botão, mais nada, ele delicadamente recusou a oferta. Dizia um "muito obrigado" que quase não se ouvia porque a voz de Darly não calava nem nesses momentos. Algumas vezes chegou a demonstrar vontade de participar da conversa. Ensaiou uma ou outra observação que a timidez não deixou chegar até a gente.

— O que você disse, Darci?

Mas aí o velho já se intrometia e continuava falando, falando, em nome dos filhos, das mulheres, da justiça, de Deus.

Darci então retirava sua intervenção:

— *Num* foi nada, não.

Oloci, não, esse é daqueles que gostam de demonstrar que são espertos — e por isso talvez não seja tanto. De qualquer maneira conseguiu ficar fora do caso Chico Mendes. Naquela tarde, passou o tempo todo rondando, entrando e saindo, fumando, com "cara de bandido moderno", na expressão de Elson. Olhava às vezes para o pai, que continuava falando, como se dissesse: "Esse velho tá por fora".

Um gesto seu irritou muito. Foi quando se tentou introduzi-lo na conversa, já que incomodava aquela situação em que só Darly dava as cartas.

Já no fim da entrevista, achei que poderia pegar o moleque pelo pé. Virei-me para o velho e disse:

— Seu Darly: Alício Dias de Oliveira depôs afirmando que Oloci disse a ele que o senhor era o mandante do crime.

Antes que o pai antecipasse a resposta, coloquei a mão no seu ombro, "espera, por favor", e me voltei para a frente:

— O que você diz disso, Oloci?

Ele deu um meio sorriso safado, botou o cigarro no canto da boca e com o dedo indicador esquerdo apontou para o próprio peito, enquanto balançava o indicador direito virado para cima como um pêndulo invertido. Através dessa mímica que evitava o gravador, era como se ele dissesse:

— Pra cima de mim, não, cara.

Saímos do presídio às cinco horas da tarde. Darly foi nos levar à porta, como se fosse o dono da casa — se quisesse sairia também. A sua desenvoltura no presídio torna inexplicável estarem ainda lá. Quem sabe só até o julgamento?

Me lembro do que dissera o juiz Adair Longuini dois dias antes, comendo sanduíche e tomando cerveja num barzinho de madeira em Xapuri:

— O dia que interrogo esses caras não consigo dormir.

“Eu espero primeiro a justiça de Deus”

Darly Alves da Silva é uma pessoa difícil de ser entrevistada. Fala sem parar e nem sempre o que diz faz sentido. Responde o que quer e muitas vezes suas respostas não têm nada a ver com as perguntas. Mas se defende como um animal venenoso, por instinto. Sabe quando está a perigo. Abaixo, alguns trechos de uma longa entrevista em que a única coerência está no seu sentido de defesa. Tanto quanto possível, foi mantida na transcrição a sua maneira de falar, inclusive com os erros.

— O senhor não se sente revoltado por ter sido abandonado pelos seus amigos?

— *Num* tem uma pessoa que chega de cara a cara, senhor Darly, o senhor já me ofendeu, o senhor deixou de acertar um negócio comigo, nunca fui na polícia acertar um negócio. Repartição nenhuma, que eu tivesse deixar de pagar.

— Estou falando dos seus amigos, que visitavam o senhor na fazenda, que queriam, como se dizia, a morte de Chico Mendes.

— Nesse assunto, vamos supor, de amigos, não vou dizer que não tenho amigos, que passam lá em casa, querem comprar um gado, querem vender um gado, outro diz que é meu amigo, tenho vontade de conhecer o senhor, o senhor é bom amigo, coisa e tal. Sei que existe amigo, agora eu não sei quem é que é amigo. A respeito do caso Chico Mendes, eu considero, eu tenho a consciência limpa que eu sou inocente. Agora, nunca chegou a ponto de ninguém chegar lá em casa pra dizer que eu deveria fazer isso ou fazer aquilo. Ou trocar essa ideia com alguém. Primeira coisa: quem trabalha muito, o senhor sabe, não tem tempo.

— O senhor está sendo ajudado financeiramente?

— Isso não. Tô vendendo o meu gado. Todo mês eu vendo vinte vacas. Tô vendendo gado pra pagar a ele (o advogado Rubens Torres), pra pagar o Lucena (outro de seus advogados). Inclusive, só para pagar o Lucena eu vendi sessenta vacas, fora o dinheiro que eu dei pra ele. *Num* espero ajuda de ninguém porque ninguém é culpado da infelicidade dos outros, né. Quem me botou no fogo eu *credito* que foi os *político* que tinha interesse de fazer alguma coisa com meu nome, usou meu nome, quer dizer.

— Que políticos?

— Que mataram o homem, vamos supor, sabendo que eu tinha problema, não com ele (Chico), eu tinha problema em Umuarama, a precatória que saiu de lá. Não fugi da polícia, saí de casa pra esperar o tempo do *devogado* relaxar a prisão lá pra mim me apresentar, me defender e *vortar* pra minha fazenda pra trabalhar.

— Qual era a acusação, de assassinato?

— Era acusação de assassinato, mas a mesma coisa daqui. Também não devo. Lá foi um rapaz que morreu, tinha muita investigação e não tinha em quem jogar. Aí, dois rapazes que *foi* preso lá, apanhou muito, jogaram que eu era o mandante desse crime.

— Como é que o senhor soube da precatória?

— Justamente por causa do telefonema do meu cunhado, que disse que tinha saído notícia na *Folha de Londrina* que disse que eu tinha saído de lá com rastro cheio de sangue, mentira, aquele negócio de jornal.

— Foi dito que o doutor Mauro Spósito deu para o senhor a carta.

— É o tal negócio, a política é prejudicar os outros. Eu nunca tive contato com o doutor Mauro Esporte (*sic*), toda vida respeitei ele como autoridade.

— O senhor não era amigo dele?

— Não, amigo, vamos supor. Eu cheguei a ver umas duas *vez* porque ele foi lá em casa saber como é que tava a situação. Eu contei pra ele: *num* devo nada, *num* tô sabendo de nada, tô *queto.*

— Quando isso?

— No tempo do Seringal Cachoeira, nesse tempo ninguém falava em precatória, não. Passou lá em casa *iantes.*

— A segunda vez ele foi pra quê?

— Não, ele só passou uma vez.

— Mas o senhor disse duas vezes.

— Eu vi duas vezes. Mas na outra vez eu vi ele na igreja, ele vinha vindo, ainda deu uma carona pro padre. Aí tava uma pessoa lá que disse esse aqui é o doutor Mauro, quer dizer, eu já conhecia ele, mas quando a gente vê uma pessoa uma vez, na minha idade, não sei se o senhor é igual a eu, na minha idade às vezes eu vejo uma pessoa que é parecida, eu fico com vergonha de fazer a pergunta porque ele vai falar, mas ô rapaz, você tá esquecido.

— A carta veio de lá para o doutor Mauro Spósito entregar ao juiz de Xapuri e, diz-se, ele avisou o senhor e o senhor fugiu.

— É aquele negócio, isso saiu no jornal, é uma injúria. É esse negócio que o Genésio falou. Ele falou que lá em casa passou o doutor João Branco. João Branco nunca foi na fazenda, nem pra comprar boi, nem pra comprar galinha, nem pra comprar nada. Se ele falar que passou ele mentiu.

— O senhor está sendo acusado de ser mandante, não é isso?

— Eu *num* considero nem ser acusado. É só ouvir falar, não tem nenhuma pessoa que me acusa.

— Ah, isso tem.

— Fizeram um processo meu injusto, acho que o delegado queria apresentar, né, e acho que as autoridades, como o promotor de Justiça, não devia ter me pronunciado. Primeira coisa, que eu não devo. E outra: as autoridades que ouviram um mentiroso igual o Genésio, ele sabe tudo da minha vida, sabe que eu não devo nada. Agora, só que ele falou mentira, mentiu. O delegado que ouviu sabe que ele mentiu, o juiz também sabe porque quando ele foi dar o depoimento em juízo, que ele sabia que já tinha descoberto que umas mentiras dele já *tava* descoberta, ele mesmo confessou em juízo que tinha falado umas *mentira* e que naquele dia falava a verdade. Mas se ele fosse falar a verdade, ele ia desfazer de tudo que ele tinha falado na delegacia porque tudo o que ele falou na delegacia era mentira.

— O que ele falou na delegacia?

— Ele falou na delegacia — parece que foi ensinado pelos interessados lá que queriam me processar, não sei se estavam ganhando dinheiro de alguém. Ele ficou uns dois meses ou três em Xapuri, todo dia sendo entrevistado pra poder me condenar. O depoimento do Genésio é o seguinte: fulano matou fulano. Quem foi? Foi gente do Darly. E por que que você sabe disso? Os mineirinhos. Cadê os mineirinhos? Os mineirinhos *num existe*, sumiram. Quer dizer, não tem prova. Quem contou pra você? Os *mineirinho*, quer dizer, mentindo, mentindo. Os *mineirinho*, coitados, são rapazes simples, trabalhadores, *vivia* na fazenda.

Tem prova que eles vendiam seiscentas sacas de arroz por ano, vendiam mil e quinhentos sacos de milho, só viviam do serviço, de segunda a segunda. Até domingo os pobres dos rapazes. Quer dizer que eu *num* posso acusar eles que tivessem qualquer defeito. Então o Genésio falou umas cento e cinquenta mentiras. Outra coisa: ele acusou mais ou menos uns dez ou vinte que *trabalhou* comigo na fazenda há dez anos atrás, eu tô aqui dentro, *num* tenho prazo pra investigar, mas a metade eles eu sei onde tá, tá tudo vivo, agora eu *num* posso saber alguém que foi pra Mato Grosso, que foi pra Campo Grande.

— Quem são? Os bolivianos, o Raimundo...

— Negócio de boliviano, os bolivianos que *pareceram morto* lá, eu nem considero que seja na minha fazenda. Jogaram dentro da área minha, mas eu tenho uma fazenda que ela tem dez quilômetros de estrada. Quando um vaqueiro meu disse que tinha dois *corpo* morto lá, aí eu fui, quando cheguei de longe percebi que tinha *eribu* posado, também nem cheguei de perto. Quando eu vi, dirigi *a* polícia de Xapuri, falei: lá em casa tem um negócio feio. Tem dois *corpo* um em cima do outro, deu pra *mim* ver que era dois. Aí eles foram lá, fizeram o levantamento, fiquei sabendo que era boliviano, até fiquei triste, quando *sube* que eram dois rapazes, que até um era decente, tava com uma carteira de identidade. Ainda pensei alto: *coitado* dos meus *mininos*, às *vez* falam em sair de casa pra *milhorar* a vida pela influência de outros, né, e pode acontecer com os filhos da gente uma desgraceira. A polícia tinha que fazer o levantamento pra saber se tinha fundamento. Agora, eu acho impossível uma autoridade que tem juízo, um investigador fino, ter coragem de acusar a mim porque eu chamo Darly.

— Por quê? Porque o senhor tem muitos inimigos?

— Não. *Num* tenho inimigo não. Meus inimigos é o seguinte. *Existe* uns camaradas, uns três só levantando falso. É a mesma coisa que eu sair dizendo que ali tem uma onça e todo mundo acreditar e sair correndo. Então aconteceu comigo que eles falaram que eu sou ruim e todo mundo acredita, e o jornal ainda em cima, a imprensa.

— O senhor acha que vai ser absolvido?

— Olha, eu espero primeiro a justiça de Deus. Acho que os homens da lei, se tiverem entendimento e *for* pegar pela verdade e sentir que a mentira foi demais, que tem que saber que a mentira foi demais. No meio de cento e cinquenta *mentira*, se descobrir mais ou menos cento e vinte mentiras.

— A situação do Darci é mais complicada porque ele confessou, não?

— Depois que eu me entreguei, porque eu me entreguei de instantânea vontade, cheguei aqui e fiquei uns trinta dias sem ter contato com o Darci. Na hora que eu cheguei na grade, eu só falei, ô Darci, por que você fez aquela desgraceira? Ele baixou a cabeça e não respondeu nada. Aí, depois, vejo no jornal ele dizendo que não tinha matado. *Foi* as duas *surpresa* que eu tive: uma dizer que ele tinha e a outra dizer que ele não tinha. Quer dizer que eu fiquei no meio. Agora, também depois eu não acreditei que é ele nem é ele. Aí eu fiquei sabendo que ele estaria em Brasileia no dia da morte de Chico Mendes. E foi comprovado porque quem falou é gente de bem, tem umas três ou quatro testemunhas.

— Ele reconstituiu o crime com todos os detalhes!

— Pois é, aí que o senhor vê, pois é, aí agora, eu mesmo não posso falar nada...

— Cá pra nós...

— Isso aí que o senhor tá me dizendo, por exemplo, não entendo.

— Veio gente de São Paulo, técnicos, para fazer a reconstituição. Para ver se Darci conhecia mesmo o terreno, eles insistiam, e ele conhecia: "Foi daqui, atirei daqui...".

— Isso aí dele conhecer o terreno não quer dizer nada, não, porque ele morou em Xapuri, estudou em Xapuri...

— O terreno que eu digo é o local do crime.

— Isso aí eu não entendo, não sei, porque eu não vi o processo dele, o depoimento dele eu não vi, só vi falando pelo jornal.

— Eu também não vi o depoimento, mas li a reconstituição.

— É, depois eu vi o doutor Ruma (Romeu Tuma) falando — isso aí eu assisti e eu entendi bem — o doutor Ruma falou na televisão o seguinte: que o crime do Chico Mendes não tava apurado, que única coisa que condenou Darci foi o fio de cabelo na capa. Mas tinha que ter outras *coisa* pra completar, pra *aprovar* se era ele ou não, precisava completar. Isso eu vi falar na televisão, não tô dizendo isso nem aquilo, tô falando o que eu vi na televisão: que o que condenou Darci foi o fio de cabelo que tinha na capa preta. Tinha que ter mais prova concreta. Agora, a prova concreta do negócio do Darci é o seguinte: é investigar se estava em Brasileia mesmo, conforme estava, e tinha testemunha que ele tava em Brasileia, umas quatro ou cinco pessoas de bem. Primeira coisa, que ele dormiu na casa de minha irmã, eu tenho certeza que a minha irmã não ia mentir. Jantou num restaurante lá onde o cara não mente também.

As mulheres

Sexo, ódio, intriga e morte

Antes de ficar famoso por causa de Chico Mendes, Darly Alves da Silva já era conhecido nas redondezas de Xapuri por histórias que lhe atribuíam uma lendária virilidade, confirmada e exaltada por suas cinco mulheres. Além de Elpídia Alves, mãe do seu filho Darci e que na época do crime morava no Paraná, Darly, então com 54 anos, tinha quatro mulheres na Fazenda Paraná: a mineira Natalina da Silva, considerada a "legítima", as paranaenses Maria Zilda e Margarete de Góes, e a acreana Francisca da Silva Oliveira. Com elas, ele tem treze filhos, embora admita que seja pai de "mais ou menos vinte e dois".

Para manter a harmonia entre as quatro rivais, que moravam na fazenda em casas separadas mas vizinhas, Darly tentou abolir à força o ciúme entre elas: "Se por acaso uma matar a outra por ciúmes, também vai morrer, por tiro ou envenenamento do leite", não precisou avisar mais de uma vez. Nenhuma chegou a morrer por isso, mas a advertência não diminuiu o ódio entre elas nem o apego de todas por ele.

Baixo, esquelético, feio, cego de um olho, dentes ruins,

uma úlcera e mau hálito, Darly aparentemente não ostenta qualquer atrativo físico. Aparentemente. Na realidade, todas as suas mulheres encontraram nessa inesperada síntese de Tanatos e Eros encobertos encantos para alimentar um irresistível fascínio.

"O Darly vocês não conhecem", revelou Natalina à *Gazeta*, de Rio Branco, logo depois do crime. "Aquilo parece um touro brabo cobrindo vaca. Em cima de uma cama é um menino de quinze anos."

Natalina, 47 anos na época, a mais antiga das quatro, com quem Darly já não dormia mais, não estava se referindo a virtudes passadas; as duas amantes mais novas, Francisca e Margarete, mantinham a mesma impressão.

"Era três ou quatro toda a vez que a gente se encontrava", completou Francisca, então com 23 anos. "O Darly é melhor que garoto." Excitada pelas lembranças, Francisca chegou a cometer indiscrições anatômicas: "Enfezado, media sete caixas de fósforos, parece um burro".

Margarete, a preferida, que tinha 21 anos, confirmava as rivais: "Ele é de lamber os beiços de bom", declarou, sonhando em voltar "a cair nos seus braços e sentir o cheiro no meu cangote".

Há quase cinco meses, quando nos recebeu no presídio de Rio Branco, Darly desmentiu, claro, sua participação no crime de Chico Mendes, mas confirmou o seu priapismo crônico: "Não passo nove, dez horas sem ter relação com mulher", confessou, queixando-se do que parecia ser a sua única privação. E aproveitou para desmentir a história divulgada por Natalina, de que ele costumava ingerir uma bebida afrodisíaca preparada por ela, uma mistura miraculosa de ervas: hortelã, cominho, açafrão, jucá, guaraná e catuaba. A receita completa e a dose certa, Natalina ficou de nos fornecer, o que acabou não acontecendo, apesar do interesse. "Vocês podem precisar, né", disse na entrevista. Darly garantiu que nunca precisou desse tipo de estímulo.

Quem conviveu com a família Alves antes do crime de Chico Mendes, como o garoto Genésio Ferreira da Silva, com quinze anos hoje, dos quais sete passados na Fazenda Paraná, conta que a relação entre as quatro mulheres era muito tensa. Considerando-se a única com direito ao marido polígamo ("a verdadeira mulher sou eu, casada no civil", dizia) embora ele não dormisse mais em sua casa, onde ia só para fazer as refeições, Natalina vivia infeliz e mal-humorada, reclamando do abandono e destilando seu ódio às rivais, em especial a Margarete, em quem chegou a dar um tiro — mais para assustar do que para acertar — com sua garrucha calibre .36, que comportava bala 42.

A mais esperta daquele harém rural era justamente a mais nova, Margarete, que nos seus 21 anos sabia explorar a condição de preferida. Não chegava a ser bonita, mas era a mais exigente. Em dois anos de fazenda — e dois filhos — ela aprendeu a conquistar alguns direitos. Como quase todas as noites Darly dormia em sua cama, ela aproveitou para, entre outras coisas, exigir água encanada em casa — um privilégio só destinado à sede da fazenda, onde morava Natalina. Quando esta soube da pretensão da rival, prometeu cortar todos os canos.

A ameaça surtiu efeito, porque, ao arbitrar a questão, Darly cedeu à matriarca, mas, em compensação, colocou logo na casa de Margarete fogão e toca-fitas. Água, geladeira, chuveiro e privada, que eram as outras reivindicações, ficaram para depois.

Rebelde, Margarete era também tida como infiel. Pelo menos duas vezes teria traído Darly — com seu filho Darci. Se foi mesmo enganado, ele nunca pôde obter a prova. Ao observar alguns rastros suspeitos, chamou Genésio e ordenou que ele passasse algumas horas no alto de um morro pastorando, isto é, tomando conta para ver se entrava alguém na casa da suposta infiel. Por duas vezes, o garoto viu Darci entrar e permanecer por horas, mas preferiu mentir no informe. Se confirmasse a suspeita, sabia que na melhor das hipóteses levaria uma surra do rapaz e, na pior, poderia morrer.

Quando Darly não dormia com Margarete, era porque estava com Francisca, a segunda na ordem de preferência. Com 23 anos e três filhos — Darlene, quatro anos, Darleide, três e Darlon, dois — morena, bonita, cabelo liso, Francisca da Silva Oliveira foi a personagem trágica dessa história. Aos dezesseis anos, conheceu Darly no seringal Campo Lindo, entre Rio Branco e Xapuri, e se apaixonou. Como os pais não queriam o namoro, ela fugiu e foi viver na Fazenda Paraná. "Sofri muito quando descobri que não era a única mulher da vida dele, mas esquecia tudo toda vez que estava com ele na cama", disse.

Às 8h30 do dia 8 de janeiro de 1989, após a ocupação da fazenda pela tropa de onze soldados da PM comandados pelo sargento H. Neto, Francisca suicidou-se cortando a jugular com uma faca de cozinha. Ela teria sonhado com o marido censurando: "Você me traiu, por isso deve morrer". A "traição" teria sido a revelação do esconderijo do marido. Os fatos desmentiram logo essa versão espalhada pela polícia, já que Darly não foi descoberto — entregou-se. Ainda corre o inquérito que apura as causas da morte, já que a polícia suspeita da versão de suicídio.

O fato é que, desde a ocupação, ela caiu em depressão e passou a não comer, em consequência das ameaças de que seria oferecida aos seringueiros para ser exemplada. Além de ameaçada, Francisca foi também assediada. Os bravos soldados do sargento H. Neto, inclusive ele, ficaram muito tentados pela jovem prisioneira.

Poucos dias antes do suicídio, ela tentou entregar ao sargento uma caixinha com algumas joias. "Isso aqui é pra vender e comprar alimento pra meus filhos. Não quero que falte nada a eles." H. Neto se recusou: "Você tá ficando louca?". Francisca tentou então, sem sucesso, convencer Natália, mulher de Oloci e irmã de Genésio, a ficar com a caixa. Quem acabou aceitando a tarefa foi Margarete, sua antiga inimiga.

Ela estava certa de que o marido não voltaria, e pode ter se matado por isso. Um dia, preocupada com as ameaças, ela perguntou a Genésio, seu confidente, se os polícias teriam realmente coragem de "judiar" dela. Genésio respondeu: "Francisca, em polícia ninguém pode confiar, nem eu". Darly teria lhe dito uma vez: "Se eu cair no mato, a polícia não me encontra mais". "Se ele não voltar, o que será dos meus filhos?", ela se desesperava.

Catorze horas antes de Darly entregar-se, ela suicidou-se. Uma das últimas frases da fiel amante foi: "Morro mas não traio meu marido".

Maria Zilda, a mais insignificante das quatro, quase tão velha e abandonada quanto Natalina, foi quem se deu melhor. Assim que soube do assassinato de Chico Mendes, pegou seus quatro filhos e fugiu para o Paraná, levando as economias que conseguira juntar com a criação de algumas cabeças de gado.

Ela sabia que seria incomodada. Pelo menos um desejo Darly nunca deixou de dividir com as quatro mulheres: o de matar Chico Mendes.

Trecho da entrevista de um incansável atleta do sexo, Darly Alves da Silva:

— O senhor gosta muito de mulher, não?

— Mais ou menos. Até agora, graças a Deus, tenho boa saúde.

— Qual o segredo do seu sucesso?

— É tudo natural. Se elas viviam comigo, é porque eu dava carinho suficiente. Graças a Deus eu nunca passei vergonha com elas e elas se sentiam bem comigo.

— Como é que o senhor dava conta das quatro?

— Eram quatro e eram novas e eram bonitas, o senhor viu no jornal? E nenhuma me deixava. Eu dava conta. Tem mais de vinte anos que eu não passo nove, dez horas sem ter relação com mulher.

— Todo dia!?

— Todo dia, direto, mais de vinte anos.

— Então aqui o senhor está sofrendo terrivelmente!

— Aqui, agora, Deus me livre!

— Mas de vez em quando o senhor dá uma saidinha, não?

— Eu tenho contato com minha mulher, já nasceu até um filho.

— O seu segredo então é a resistência?

— Nada disso não é. É um segredo que nem eu sei, só Deus mesmo. Se elas passam a gostar de mim, não sou culpado.

— O senhor ficava mais na casa de quem?

— Eu dava apoio total.

— O senhor gostava mais de qual?

Subitamente, ele se irrita:

— *Vamo* parar com isso aí. Negócio de família não interessa. O que interessa é dizer que eu sou inocente.

Quando chegamos ao carro, eu estava tremendo de frio e de febre. De repente, a friagem quase me fechou a garganta, deixando-me praticamente sem voz. Fomos direto a uma farmácia e dela para o hotel, onde precisei brigar por um cobertor. Queria dormir um pouco sob o efeito do comprimido antes de ir jantar na casa de Elson. Mas não consegui. Comecei a misturar recordações do dia com imagens sem sentido. Me lembrei da intimidade que tivera com os criminosos — rira com eles, dissera "muito prazer" ao ser apresentado a todos, brincara com Darci, chegara a me comover quando Darly botou a mão no coração e gemeu "ai, meu peito" — e me senti culpado. No delírio me vi sendo condenado por um conselho de ética formado por inimigos sem cara: “Ele compactuou com os assassinos de Chico Mendes! Fora!”.

À noite, já na casa do Elson, enquanto Adair tomava caldo de tucupi com farinha, eu lhe contei o encontro da tarde. Disse que o Darly me lembrava aquelas histórias que ouvira dele e de Elson dias antes em Xapuri, quando os dois me atormentaram com casos de cobras e de outros astuciosos bichos. O juiz contou como, numa madrugada, acordara com uma sensação estranha de coceira na mão, depois no braço. Em seguida, bolas vermelhas tomaram conta do corpo todo e uma inchação repentina começou a fechar seus olhos.

Sentado na cama, ele ainda fez um último esforço para tentar entender o que estava se passando. Foi nesse momento que viu atravessando o quarto, cabeluda, horrorosa, uma aranha caranguejeira do “tamanho de um pires de café”. Antes mesmo de tentar matá-la, ocorreu a Adair que era preciso chegar até a porta de saída para deixá-la aberta. Se desmaiasse, alguém haveria de encontrá-lo mais facilmente. Feito isso, a segunda providência seria matar a aranha e procurar socorro. Não sabe até hoje como conseguiu dirigir até a casa do médico carregando numa caixa seu asqueroso desafeto. O médico acordou o farmacêutico, pegaram uma injeção e seguiram imediatamente para o hospital de Xapuri, o mesmo para onde foi levado Chico Mendes. Lá constatou-se que a vítima não chegara a ser mordida pela aranha, que só passara por seu corpo adormecido o pelo alergizante. Se isso foi suficiente para produzir tanto estrago, imagine-se se aquele representante dos aracnídeos resolvesse deixar no corpo da lei o seu ferrão venenoso. Durante dois dias, o dr. Adair permaneceu internado, sofrendo surtos esporádicos de bolas vermelhas. No fim do segundo dia, sua mulher Regina foi buscá-lo e levou-o às pressas para Rio Branco, onde se curou.

Ali, na casa de Elson, concordamos que Darly mimetizava certos animais, um fenômeno comum na solidão de regiões onde o convívio maior do homem é com os bichos. Só que no seu caso ele parecia mimetizar apenas os animais venenosos. O seu sistema de defesa intuitivo, irracional, que não parecia passar pela lógica, era como o da aranha do Adair ou então da surucucu de uma história contada pelo Elson, feroz e traiçoeira.

O julgamento

Marcelo Auler e eu cobrimos juntos os quatro dias de julgamento. A matéria que se segue, "Darci confessa crime para livrar o pai", foi escrita por mim com a sua colaboração. A segunda, "Tribunal condena Darci e Darly a dezenove anos de prisão", foi feita por ele sozinho. E a última, "Um juiz de direito", é de minha autoria.

DARCI CONFESSA CRIME PARA LIVRAR O PAI

Num inesperado depoimento que contrariou as expectativas inclusive da acusação, Darci Alves Pereira, de 23 anos, principal acusado do assassinato do líder seringueiro Chico Mendes, foi a grande sensação da manhã de ontem no pequeno Fórum de Xapuri. Às 10h37, 61 minutos depois de ter sido instaurada oficialmente a sessão, Darci deixou perplexas as mais de 120 pessoas presentes ao confessar, em lugar do álibi prometido pelos advogados de defesa, a autoria do crime, apresentando uma terceira versão para o caso.

"É uma manobra para eliminar Darly do processo", admitiu o assistente de acusação, Márcio Thomaz Bastos, para quem a defesa, com esta nova confissão de Darci, preferiu "jogar o filho obediente às feras para salvar o pai prepotente". A confissão de ontem difere em detalhes, alguns importantes, da versão que Darci apresentou em 26 de dezembro de 1988, quatro dias depois do assassinato, ao se entregar à polícia. Durante a instrução judicial do processo, Darci havia desmentido a primeira confissão, passando a negar a autoria do crime.

O interesse demonstrado pela defesa, ainda que o advogado João Lucena Leal tenha jurado — "com toda a pureza de minha alma" — que até terça-feira achava que Darci não tinha participação no crime, é o de derrubar a acusação contra Darly, apontado como mandante do assassinato, e desmoralizar o vídeo da reconstituição do crime. Hoje, ele é a principal peça da acusação, pois considera que apenas quem esteve no local do crime naquela noite poderia dar a riqueza de detalhes que o réu forneceu. Na confissão de ontem, Darci modificou até o tipo de arma que teria usado. Segundo a reconstituição, uma espingarda CBC, calibre .20, um cartucho. Na versão de ontem, ele disse ter atirado com uma espingarda calibre .16, de dois cartuchos.

É possível que a nova confissão faça parte de uma estratégia da defesa para oferecer a tese de que o crime foi cometido em consequência de um "relevante valor social", isto é, a vítima deu ensejo para que viesse a se tornar vítima. Lucena Leal, nos debates, vai falar mal da vítima, que ele ontem chamou de "um petitoide que subia em palanques fazendo acusações contra todo mundo, sem ter provas". Insistirá na tecla de que Chico Mendes, ao fazer denúncias contra Darly, induziu compulsivamente o filho deste — a quem classificou de "um garoto interiorizado, com complexos" — a vingar por sua conta o pai insultado.

Na versão de ontem, Darci diz que na tarde do dia 22 de dezembro estava em Brasileia, tendo se deslocado de moto para Xapuri. Antes de entrar na cidade, passou por seu barraco, na Fazenda Paraná, para apanhar a espingarda calibre .16. O percurso entre a fazenda e a cidade, de aproximadamente 25 quilômetros, teria sido feito também na moto, guardada em seguida no mato, próximo ao prédio da Cobal, a um quilômetro de distância da casa da vítima, na rua Dr. Batista de Moraes, 487. Ele insistiu em que estava sozinho na hora do crime e alegou ter voltado para Brasileia, onde dormiu.

Segundo João Lucena, somente ontem pela manhã, já na delegacia de Xapuri, seu cliente lhe disse que ia confessar a autoria do crime. "Ele alegou que não estava mais aguentando e ia confessar. O pai dele, ao saber, ficou louco da vida, disse que o filho deve estar louco." Mas, ao ser interrogado pelo juiz Adair Longuini, Darly não se referiu a essa conversa matinal. Pelo contrário, disse desconhecer se seu filho era autor do crime: "Ele deu dois depoimentos, um na polícia e outro depois. Eu não sei com qual fico, a Justiça é que vai decidir".

Com essa confissão, a defesa vai abrir mão de algumas de suas testemunhas. Aliás, não poderia ser diferente. Afinal, quatro delas iriam endossar o álibi de que Darci não matou Chico Mendes porque no dia 22 ficou em Brasileia a tarde toda, dormindo na casa de sua tia, Zilma Oliveira. A acusação, ao contrário do que estavam apregoando os advogados Lucena Leal e Rubens Lopes Torres, não pretende suspender a exibição do vídeo que mostra a reconstituição do crime. A defesa alega que, com a nova confissão, não há mais sentido em se exibir o prometido vídeo.

A acusação, segundo Márcio Thomaz Bastos, pensa diferente. Para ele, a confissão é um golpe e a acusação precisa convencer os jurados de que a versão dada por Darci na polícia é a verdadeira. Por isso, considera fundamental o vídeo, que mostra os detalhes que Darci não contou ontem. Além disso, Márcio admite a hipótese de que, nos debates, a defesa continuará insistindo na negativa de autoria, justificando o depoimento de Darci ontem como consequência de sua loucura. "Nós não vamos desistir nem do vídeo nem das nossas testemunhas."

Lucena Leal também entende que, se o júri aceitar a confissão de Darci, sua pena pelo crime de homicídio — que pode ser de doze a trinta anos — será reduzida, graças a algumas atenuantes. Uma delas é que, no dia do crime, Darci tinha menos de 21 anos. Outra é a própria confissão do crime. Uma terceira atenuante, também prevista no Código Penal, seria o desconhecimento da lei (o réu alegou não saber ler nem escrever). A defesa também vai alegar que o réu é tecnicamente primário (ele foi condenado em junho a doze anos de prisão, por tentativa de homicídio em 1988, mas recurso impetrado em instância superior ainda não foi julgado, o que lhe garante a condição de réu primário).

Darci Alves Pereira começou a surpreender logo na primeira resposta do interrogatório, quando disse ao juiz Adair Longuini que no dia do crime estava em Brasileia. "Passei o dia e voltei de tarde para Xapuri", afirmou, contrariando o que dissera na reconstituição, quando garantiu que saíra direto da Fazenda Paraná, onde morava, para cometer o crime.

Na versão de ontem, ele acrescentou que viera para Xapuri de moto, e não a pé, como sempre afirmara. "Passei no meu barraco", acrescentou, "e peguei a arma." Quando o juiz lhe perguntou que tipo de arma havia usado, a resposta foi outra surpresa: espingarda calibre .16, de dois cartuchos. Segundo a confissão anterior do réu e os exames de balística, médico-legal e análise do local, a arma usada foi sempre citada como uma espingarda CBC, calibre .20, de apenas um cartucho. Apresentada ontem a Darci, ele negou conhecer a arma.

Uma das cenas marcantes do vídeo da reconstituição é aquela em que Darci aparece meio sentado sobre uma mureta de tijolo no momento em que, ao lado do coqueiro, dispara sua espingarda.

— Você se sentou em algum momento? — perguntou ontem o juiz.

— Não.

— Ficou de pé?

— De pé.

Em outro detalhe, Darci contraria também o que havia dito na reconstituição. Quando Adair Longuini quis saber o que o réu ouvira enquanto esperava para atirar em Chico Mendes, a resposta foi: "Vozes de pessoas". Não fez qualquer alusão ao barulho das pedras de dominó sobre a mesa. Pouco antes do crime, Chico jogava com seus dois seguranças — e Darci contou aos peritos que ouviu nitidamente esse barulho, não o de conversa.

Quando foi lida a lista de testemunhas, não se esperava que Darci desse a resposta que deu. Ele simplesmente respondeu não ter nada a alegar contra os nomes arrolados. Entre esses nomes, estava o de Genésio Ferreira da Silva, testemunha de acusação.

A forte chuva que caiu sobre Xapuri às seis horas (9h de Brasília), na manhã de ontem, afastou o público da porta do Fórum da cidade quando começou o julgamento de Darly e Darci. Mas se faltou público de lado de fora — menos de trinta pessoas se amontoavam na porta — não sobrou vaga entre os 120 lugares da plateia.

Entre as autoridades que ocuparam as 21 cadeiras a elas reservadas, a que mais atraiu fotógrafos e cinegrafistas foi o bispo do Acre, dom Moacyr Grechi, que sequer teve tempo ontem de folhear o livro *Sociedade, Igreja e democracia*, que prometera ler quando "fossem falar coisas que eu já sei". Na primeira fila estavam o candidato derrotado ao governo do Acre pelo PT, Jorge Viana, ao lado do vice-presidente da CUT, Avelino Ganzer, do presidente do PT, Luiz Inácio Lula da Silva, e do presidente da OAB, Ophir Cavalcante. O diretor-geral da Polícia Federal, Romeu Tuma, chegou depois da sessão iniciada. Mais tarde, chegou o governador eleito do estado, Edmundo Pinto.

Da família do réu estavam presentes apenas três pessoas: Natalina Nascimento da Silva, primeira esposa de Darly; Natália Pereira Borges, mulher de Oloci, outro filho de Darly que também estava preso; e Dari Alves da Silva, irmão de Darly. Natalina quis evitar os repórteres a todo custo, mas acabou deixando escapar fortes queixas contra suas concorrentes, em especial Margarete de Góes, de 23 anos, atualmente a preferida de Darly. Por duas vezes, segundo ela, quando foi visitar o marido na prisão soube que ele estava no motel da penitenciária com a rival. Natalina até hoje não conhece esse motel. O pai de Darly, Sebastião Alves da Silva, segundo Dari, não compareceu ao julgamento por causa da idade avançada.

Ilzamar Gadelha Bezerra Mendes, vestindo uma minissaia jeans e uma camiseta amarela com uma estampa do seu ex-marido, Chico Mendes, entrou no fórum às 7h52, acompanhada de seu atual marido, Júlio Nicasso, e do irmão de Chico Mendes, Zuza. Ela ficou na quarta fila, atrás de Ângela Maria Farrapo, filha do primeiro casamento de Chico Mendes, que atualmente disputa com Ilzamar os direitos sobre o filme da vida do líder seringueiro.

Eram 9h05 (12h05 de Brasília) quando, escoltados por policiais civis, os réus ingressaram no salão do júri. Darci, de calça marrom-clara, camisa de manga comprida branca e tênis, foi o primeiro a aparecer diante do batalhão de fotógrafos. Darly veio em seguida, com calça preta e camisa azul.

O forte esquema de segurança montado pelas Polícias Militar, Civil e Federal não teve nenhum trabalho. Na véspera, diante de quase quinhentas pessoas reunidas no Clube Municipal Assemux, diversas lideranças sindicais e o próprio Lula recomendaram tranquilidade e pediram que os seringueiros evitassem beber no período do julgamento.

Bem menor que o de seu filho, o depoimento de Darly Alves da Silva demorou cerca de uma hora, não chegou a conter qualquer revelação, mas foi mais divertido, provocando alguns sorrisos na plateia e muitos na acusação, principalmente quando se referiu várias vezes à imprensa.

Ao ser perguntado pelo juiz como havia tomado conhecimento da morte de Chico Mendes, ele não hesitou: "Pelos jornais". Logo depois, deu a mesma resposta para explicar de que maneira soubera do envolvimento de seu filho com o assassinato do líder seringueiro.

Aos jornais e jornalistas ele atribuiu também seus desentendimentos com Chico Mendes. Quando o juiz lhe perguntou se havia tido algum conflito com o seringueiro, Darly respondeu: "Nunca".

— O senhor nunca conversou com ele?

— Nunca.

Houve um certo zum-zum no plenário, mas o riso mais indiscreto nessa hora foi o da assistente de acusação Sueli Bellato, que precisou botar a mão na boca para disfarçar.

Pouco antes, para demonstrar a pacífica convivência que existiria entre os dois, Darly contou o que ouvira certa vez de Chico Mendes: "Seu Darly, seu caso é fazenda, o meu é reserva extrativista". Diante do espanto do juiz à resposta "nunca", Darly atribuiu as versões de briga a "problemas de jornal, de jornalista".

Aparentemente leitor assíduo de jornal, Darly não soube explicar pelo menos uma notícia importante saída em jornal pouco antes do crime. Longuini tentou descobrir se alguma vez Darci manifestara ao pai ódio contra Chico Mendes.

— Não, senhor.

Mas alguns segundos depois, lembrou-se:

— Só uma vez que ele perguntou se eu não ia rebater as notícias jornalísticas de Rio Branco.

Essas notícias eram sobre acusações feitas por Chico Mendes. Darly alegou ter dito ao filho que não ia responder porque não lera as notícias. Mas o suspeito de mandante da morte de Chico Mendes caiu em contradição mais grave. Ao informar que permanecera na fazenda quando a polícia foi lá prendê-lo, sem conseguir, ficou muito embaraçado. Garantiu que não tinha deixado a casa, mas não soube dizer por que não fora preso. "Eu ficava em casa", tentou corrigir, "mas dormia fora."

TRIBUNAL CONDENA DARCI E DARLY A DEZENOVE ANOS DE PRISÃO

Eram 23 horas de sábado em Xapuri (2h da madrugada de domingo em Brasília) quando o juiz Adair Longuini começou a ler a sentença que condenava o fazendeiro Darly Alves da Silva, de 54 anos, e seu filho Darci Alves Pereira, de 23 anos, a dezenove anos de cadeia pela morte do líder sindical ecologista Chico Mendes. Cerca de duzentas pessoas que se espremiam na sala do tribunal ou aguardavam do lado de fora, disputando um lugar nas janelas, começaram a comemorar.

Os aplausos foram tantos que mal se podia ouvir o advogado de defesa João Lucena Leal anunciar a decisão de recorrer ao Tribunal de Justiça para pedir a nulidade do júri de Xapuri. Lucena Leal vai fazê-lo por dever de ofício, pois nem mesmo sabia o que alegar. Pressionado por jornalistas, apegou-se à primeira justificativa que encontrou: "Esta manifestação que está acontecendo agora já é suficiente para anular o julgamento", disse.

Ao saber da ameaça, Márcio Thomaz Bastos, assistente de acusação, que durante o júri se mostrou muito mais preparado do que os três advogados de defesa, ironizou: "Só uma coisa pode anular este júri: os réus alegarem que ficaram indefesos. Foram tantas as bobagens cometidas pela defesa, que parecia que ninguém os estava defendendo". Lucena Leal, no entanto, insistiu no pedido de anulação, alegando que um jurado cochilou e outros eram "radicais do PT".

Quarenta minutos depois, o juiz Longuini encerrava a sessão mais demorada da história da comarca de Xapuri, tendo a seu lado o promotor Eliseu Bouchmeier de Oliveira e o presidente da Associação dos Magistrados do Estado do Acre, Ciro Facundo de Almeida. Foram quatro dias de julgamento, durante os quais os 120 lugares do tribunal sempre estiveram lotados. Ao todo, o Poder Judiciário gastou Cr$ 239 mil, em alimentação para jurados, réus, testemunhas e serventuários da Justiça, incluindo os seis que vieram de Rio Branco. O resto foi doado ao juiz, como os colchões usados na escola de 1º grau Anthero Soares Bezerra, que serviu de alojamento para jurados, réus e testemunhas e onde, por uma noite, dormiu o próprio juiz.

A condenação dos dois foi quase por unanimidade. Darci, que havia confessado o crime no início do julgamento, na quarta-feira, viu ser rejeitada, por seis votos a um, a primeira tese apresentada pela defesa — "inexigibilidade de outra conduta", ou seja, que ele não podia agir diferente depois das provocações feitas pela vítima à sua família.

Também caiu por terra, na sala secreta onde os jurados se reuniram por quase duas horas, a tese apresentada pela defesa qualificando o crime como "homicídio privilegiado". Os advogados queriam que os jurados entendessem a atitude de Darci como de "relevante valor social", uma atenuante prevista no Código Penal. Para eles, o réu, ao atirar em Chico Mendes, defendia a liberdade e a própria integridade física de seu pai. Por unanimidade os sete cidadãos xapurienses que formaram o júri rejeitaram essa hipótese.

Depois de rejeitarem essas duas teses, os sete jurados concordaram com a acusação e, por unanimidade, concluíram que o homicídio teve as agravantes de ter sido cometido por tocaia e com motivos fúteis, o que serviu para aumentar a pena. Mas concederam ao réu a atenuante prevista no Código Penal pela confissão do crime em juízo.

Graças ao batalhão de fotógrafos que formou uma espécie de barreira entre o público e os réus, não foi possível ver a reação dos dois condenados à sentença. De pé, eles ouviram a condenação de cabeça baixa. Também por causa dos fotógrafos, a Polícia Militar não pôde retirar Darly e Darci da sala pela porta. Eles foram levados para a sala do promotor, de onde pularam a janela, protegidos por forte esquema de segurança.

Enquanto isso, a maior parte dos presentes continuava batendo palmas, compassadamente. Ilzamar Gadelha Bezerra Mendes, viúva de Chico Mendes, foi retirada imediatamente da sala por seus seguranças e só voltou a aparecer em público ontem de manhã. Osmarino Amâncio Rodrigues, presidente do Sindicato dos Trabalhadores Rurais de Brasileia e um dos nomes da lista de líderes sindicais marcados para morrer no Acre, chorou, abraçado ao presidente do Conselho Nacional dos Seringueiros,

Júlio Barbosa de Aquino, e à recém-eleita deputada estadual do PT Marina Silva. Na porta do fórum a gritaria era maior: "Punição, punição, UDR na prisão".

Os dois condenados foram levados na mesma noite para a penitenciária estadual em Rio Branco, num comboio de dez carros. Eles estavam no camburão da Polícia Federal seguido por outros três carros com agentes federais. Em seguida vinha o carro que conduzia a principal testemunha da acusação, o menino Genésio Ferreira da Silva. Atrás, outros cinco carros, que conduziam, separadamente, dom Moacyr Grechi, bispo do Acre, os advogados de defesa e alguns jornalistas. O comboio chegou a Rio Branco às três da madrugada de domingo (6h em Brasília). Os advogados de acusação Márcio Thomaz Bastos, Sueli Bellato e Ricardo Gebrin deixaram Xapuri pela manhã, de avião, para Rio Branco, onde embarcaram para São Paulo.

Enquanto isso, em Xapuri, a população comemorava comedidamente. Não houve gritos nem farra na rua, mas os bares ficaram cheios, assim como o famoso Forró do Juvenal. Popularmente conhecido como Espoca Chatos, o forró, que já foi palco de brigas da família Alves, funcionou até as quatro da madrugada de domingo e serviu para o promotor Eliseu Bouchmeier de Oliveira comemorar a vitória. Quem não quis dançar — como o advogado Ricardo Gebrin, o diretor do Departamento Rural da CUT, Avelino Ganzer, e os médicos-legistas da Unicamp Nelson Massini e Fortunato Badan Palhares — foi festejar no Bar Mirante. Os moradores da cidade não escondiam a satisfação. A alegria iluminava os mesmos rostos que anos a fio demonstravam medo da violenta família Alves.

Ilzamar Gadelha Bezerra Mendes, viúva de Chico Mendes, não conseguiu dormir na noite de sábado para domingo. Todo o estresse acumulado nos últimos quatro dias, durante os quais acompanhou todas as sessões no Fórum do começo ao fim, aflorou quando ela chegou em casa, depois do julgamento. Ilzamar teve uma forte crise de choro, junto aos dois filhos Elenira, de seis anos, e Sandino, de quatro anos, que dormiam.

Seu desejo, confessado, era ir à rua, gritar, dançar e beber com os amigos em comemoração. Mas a Polícia Militar, tão logo o juiz anunciou a pena de dezenove anos para os dois acusados, levou-a para casa, contra a sua vontade. Alegaram que não teriam condições de lhe oferecer garantias no meio do batalhão de jornalistas, sindicalistas e seringueiros. Trancada em casa, Ilzamar chorava no quarto, enquanto um PM com metralhadora montava guarda do lado de fora.

Na manhã de domingo, ainda com olheiras, deu seguidas e repetitivas entrevistas aos jornalistas. Falava sobre tudo, mostrando ser bem diferente da Ilzamar de dois anos atrás, quando não tinha a fama de hoje. Aos 27 anos e atual companheira do vereador Júlio Nicasso (PT), esta filha de seringueiro que acabou casada com o responsável pela sua alfabetização aprendeu mais nos seus dois anos de viuvez do que nos 25 anteriores.

Retraída e submissa — deixava ao marido todas as decisões —, Ilzamar foi transformada pelo tiro disparado por Darci Alves Pereira numa mulher adulta, cheia de responsabilidades e até mesmo liberal, tanto que hoje questiona a necessidade de se casar de papel passado. Da noite para o dia juntou à tarefa materna a responsabilidade de exercer também o papel de pai. E, não bastasse isso, à beira do caixão do marido, assumiu o compromisso de continuar lutando por seus ideais.

Hoje ela é capaz de discutir qualquer tema político com qualquer pessoa, sem se envergonhar. Nas últimas eleições foi de casa em casa pedindo voto para Jorge Viana, candidato do PT. Antes nunca tinha saído do Acre. Agora já perdeu a conta das vezes que viajou para o Rio e outras cidades, sem falar nas quatro viagens internacionais: Estados Unidos, Alemanha e Itália (duas vezes).

Não demonstra medo, mas vive receosa com as ameaças que recebe constantemente e com as notícias que lhe chegam. Ontem mesmo, por exemplo, soube que o irmão de Darly Alves da Silva, Dari, esteve de madrugada no hospital da cidade e disse em voz alta que ela e Osmarino deveriam se cuidar. No início do ano, foi cercada por Darlyzinho, filho de Darly, e sete amigos do rapaz. O caso acabou na delegacia de polícia onde foi instaurado um inquérito. Nesses últimos dias andou sempre com segurança.

"Sem dúvida estou mais experiente, hoje tenho muito mais conhecimento", diz. Essa experiência que diz ter acumulado rendeu-lhe algumas brigas. "Quiseram me colocar em cima de um altar para depois ficarem me conduzindo. Discordei porque não queria ser enterrada junto com o Chico Mendes."

Durante o julgamento, o que mais a chocou foi ouvir de Genésio Ferreira da Silva que Darly comemorou a morte de Chico Mendes com um churrasco. Ilzamar diz que agora é a sua vez. Tão logo descanse, vai promover um churrasco. "A diferença é que o de Darly tinha gosto de sangue. O meu terá o gosto de justiça."

UM JUIZ DE DIREITO

Às 23h40 do último sábado (2h40 de domingo em Brasília), quando a plateia do Fórum de Xapuri ainda comemorava a condenação dos assassinos de Chico Mendes, o autor da sentença, juiz Adair José Longuini, parecia ter apenas uma preocupação, enquanto tirava a suada beca. "Agora, tenho que arranjar dinheiro", dizia, referindo-se às despesas de alimentação das testemunhas e dos jurados. O Tribunal de Justiça do Acre prometeu uma verba especial, mas o dinheiro estava demorando e os Cr$ 239 mil tinham que ser pagos logo.

Durante as últimas semanas, além das providências processuais, o juiz de Xapuri teve que agir como se fosse o produtor de um espetáculo barato: discutiu com os fornecedores de comida, cuidou da instalação de um gerador para o caso de falta de energia, orientou o policiamento e reuniu-se com os fotógrafos para disciplinar a cobertura.

Por isso, o momento mais solene do "julgamento do século" foi antecedido por uma série de agradecimentos, como os que encerram aquelas produções que têm que pedir tudo emprestado. "Quero agradecer à Eletroacre pela instalação do gerador. Quero também agradecer à Teleacre e à Embratel pela montagem do Centro de Comunicação. Agradeço à escola Anthero Soares Bezerra pelas acomodações. E aos comerciantes da cidade pelos colchões." Enternecedor.

A lista só não foi completa porque omitiu o agradecimento a Arquilau de Castro, concunhado de Longuini. Arquilau, também juiz, foi quem emprestou a reluzente beca de cetim, para que o juiz de Xapuri presidisse o julgamento. A dele estava muito surrada.

Quatro dias depois de começado, o julgamento que atraíra a atenção do país e do mundo chegava ao final de maneira impecável graças a Longuini, a única unanimidade a unir acusação e defesa. Os seis advogados que atuaram no júri — três acusando e três defendendo — perderam uma boa parte de seus tempos enaltecendo o desempenho do magistrado. "Imparcial", "íntegro", "honesto", "enérgico" foram as palavras que mais frequentaram a homenagem de acusadores e defensores. "Um exemplo" — resumiu um dos advogados de defesa. Era mais do que um elogio de praxe. Todos reconheciam que daquela sala calorenta, modesta, desconfortável, do Fórum da pequena Xapuri, estava realmente saindo um exemplo de justiça para o país.

"Esse cara conseguiu o impossível, organizar os fotógrafos", dizia um deles, espremido entre os colegas, aguardando a hora combinada com o juiz para entrarem para a leitura da sentença. Através de um engenhoso rodízio, que dava a cada profissional o direito de operar em três janelas durante cinco minutos cada, Longuini garantiu a liberdade de trabalho dos fotógrafos e a tranquilidade dos espectadores, que não foram importunados com flashes, correrias e empurrões durante o julgamento.

O mesmo fez com os repórteres, que tiveram credenciais mas não lugares especiais. Tiveram que, saudavelmente, se misturar com o público. Longuini não queria que se formasse uma bancada de imprensa atraindo a atenção dos advogados. Até na composição da plateia, ele utilizou critérios originais. Chamou um de seus auxiliares e determinou: "O senhor, que já foi delegado e conhece todo mundo da cidade, vai cuidar de garantir uma plateia mista. Quero aqui dentro seringueiro, fazendeiro, funcionário público, todo mundo. Organize fila na porta e faça rodízio. Quem sair não volta logo". Para obter uma "alta rotatividade", não deixou a cantina do Fórum funcionar. "Senão vai ficar aquele entra e sai", justificou. "Não faz mal deixar o pessoal com sede, não."

Não se soube de nenhum privilégio. Sua mulher, Regina, que como advogada tinha direito a trânsito livre, só foi ao Fórum no último dia. Ela alegava que alguém poderia dizer: "Viu, o juiz deixou a mulher entrar". Só se convenceu a ir ouvir a sentença quando um amigo insistiu: "Como é que daqui a dez anos você vai explicar que estava em Xapuri e não viu a sentença mais importante do seu marido?". Ela foi, mas de maneira tão discreta que nenhum jornalista percebeu.

Sóbrio de palavras e gestos, Longuini só mostrou energia quando foi preciso. No primeiro dia, o brilhante Márcio Thomaz Bastos cometeu um pequeno lapso ao se classificar como defesa e não acusação. João Lucena Leal não perdeu tempo: "Muito obrigado, Excelência". O troco de Thomaz Bastos veio fulminante: "Defesa, sim, da memória de Chico Mendes, que V. Exa. ameaça denegrir". A plateia explodiu em aplausos.

O sino tocou e ouviu-se uma voz, mais de informação que de ameaça: "O plenário não pode se manifestar. Se acontecer outra vez, esvazio o recinto. Não faço agora porque é a primeira vez". A plateia só voltou a se manifestar três dias depois, logo após a leitura da sentença.

"Foi enérgico mas não cerceou ninguém", disse Thomaz Bastos no voo que o levava de volta a São Paulo. A defesa poderia dizer o mesmo. Os três advogados tiveram liberdade até para um show histriônico. Um deles, Armando Reigota, de vocação circense, chegou, entre citações em latim, a cantar "Fígaro, Fígaro". Só não puderam fazer o que prometeram antes pelos jornais: *abagunçar* o coreto. Tentaram desclassificar a vítima, principalmente na tréplica, mas não puderam cometer nenhuma indisciplina regimental.

"Esse processo só chegou onde chegou, e em tempo recorde, graças a esse juiz", garante Thomaz Bastos. Na verdade, se dependesse apenas de Longuini teria chegado na metade do tempo. O Tribunal de Justiça do Acre reteve a peça durante um ano. Thomaz Bastos poucas vezes trabalhou com um juiz tão organizado.

Esse senso de organização, Longuini atribui à sua história pessoal. Filho de pais pobres — mãe analfabeta e pai semialfabetizado —, o menino Adair, que nasceu em Atalaia, uma cidadezinha do Paraná, começou a trabalhar aos sete anos limpando café. Depois, trabalhou com o pai no comércio e finalmente, em

1975, entrou para o Banco do Brasil, do qual foi advogado até ir para o Acre. "Treze anos de Banco do Brasil me levaram a essa mania de correção, de fazer as coisas certas."

Do pai italiano herdou, além da organização, a avareza. "O italiano é muito mão-fechada", se justifica. A adolescência na zona rural lhe tem servido muito hoje em Xapuri, onde está há dois anos. O pão-durismo, usado com imaginação, também. Na reunião do conselho de jurados, ele disse que não serviria jantar, mas em compensação ofereceria um suco de manga. Deliciosa e farta, a bebida fez muito sucesso, principalmente para quem não sabe que manga em Xapuri obtém-se levantando a mão em qualquer rua do Centro da cidade.

Adair Longuini é criticado por ser detalhista. Ele aceita a crítica, admitindo que é capaz de levar toda uma manhã para tomar apenas dois depoimentos. A sua alegação é de que, quando o processo é bem trabalhado, não há problema na hora do julgamento. "Assim, com um processo rico em detalhes, sem falhas, posso julgar consciente de que estou fazendo justiça."

O seu maior temor é "aplicar justiça sem fazer justiça". Daí, a obsessão com os detalhes. "Procuro fazer justiça em cada caso, e a gente sofre muito com isso. Você acha que estou careca assim por quê?" Esse desgaste emocional talvez impeça que o Acre tenha esse juiz por muito tempo. Embora às vésperas de uma promoção — deve passar de substituto a titular —, Adair Longuini tem um plano. "Fechado o tempo de magistratura, vou requerer aposentadoria e cuidar de boi", promete: "É muito mais tranquilo".

De fato, ele já tem uma pequena fazenda perto de Rio Branco, onde cria cerca de trezentas cabeças de gado. Mas do boi, ele gosta mesmo é da carne. Exímio churrasqueiro, Longuini corta uma carne com o mesmo rigor com que destrincha um processo.

— Qual foi a sua maior alegria?

— Ter feito um bom trabalho pela Justiça. O Legislativo e o Executivo fazem muito pouco-caso do Poder Judiciário.

Aos 37 anos, pai de três filhos — Janaína, nove anos, Marcel, seis, e Mayara, dois e meio —, Adair José Longuini é um exemplo de juiz, e também de homem de bem, uma espécie que as cidades grandes parecem estar expulsando para o interior.

Depois do julgamento de Xapuri — que, talvez pela primeira vez, condenou um mandante — outra justiça precisa ser feita: um país que é capaz de juntar numa mesma história Chico Mendes, o garoto Genésio e o juiz Adair Longuini é um país que pode ter conserto.

PARTE III
QUINZE ANOS DEPOIS

O fim do sobrosso

Vim ao Acre para ver o que havia mudado depois da morte de Chico Mendes, e cheguei à conclusão de que não só o aeroporto internacional da capital estava em outro lugar, agora mais longe do Centro, como nas grandes cidades. Muitas outras coisas pareciam também melhores. Os hotéis, por exemplo. Havia outros, não mais o Pinheiro apenas, e este estava lotado de jogadores de futebol, executivos, participantes de uma convenção, turistas. Tive que me alojar no Inácio Palace, em frente. Melhor para mim, porque no quarto me aguardava uma surpresa rara em hotéis do interior: luz para leitura na mesinha de cabeceira.

Agora, chega-se tarde na capital do Acre, por volta da meia-noite. Júlia Feitoza e Elson Martins, dois queridos amigos que foram me pegar no aeroporto, me deixaram no hotel e eu, para liberá-los, disse que estava cansado e ia dormir. Em vez disso, depositei a mala no quarto e fui dar uma volta por Rio Branco by night. Não precisei andar muito para ter mais uma surpresa. Sentei numa barraquinha na calçada, pedi um sanduíche e uma cerveja. "Não servimos cerveja depois das onze e meia, é proibido", me informou o jovem atendente. Não era possível. Onde é que nós estávamos?

Ele explicou que a "lei seca" era em consequência das drogas e da violência. "O senhor não imagina como está violenta a cidade." Resolvi testar a resistência do rapaz. Aleguei que era um coroa bem-comportado, careta, não era chegado às drogas, não ia tomar porre nem ameaçar a ordem pública. Além do mais, tinha acabado de chegar e estava hospedado ali perto. Ele continuou irredutível. Mas apresentou uma solução criativa: "Eu levo a cerveja no hotel para o senhor".

Preferi tomar suco de cupuaçu.

No dia seguinte, quando contei o episódio ao governador, ressaltando que no Rio nunca se conseguiu fazer vigorar uma medida dessas, ele se mostrou satisfeito, principalmente porque acreditava ter diminuído a violência com a restrição alcoólica.

Realmente, muita coisa parecia ter mudado. Até aquela feiura de Rio Branco, da qual eu falara tão mal na primeira viagem, a ponto de preferir a pequena Xapuri, já não era a mesma.

Não que a capital tivesse ficado bonita de uma hora para a outra. Mas havia agora uns três ou quatro lugares para encantar os olhos de qualquer turista. O Parque da Maternidade, com seus arcos majestosos lembrando os da Lapa, no Rio de Janeiro, e seis quilômetros de espaços de lazer, jogos e exercícios, "o nosso Central Park", como dizem com orgulho seus frequentadores, podia figurar nas melhores cidades do mundo.

O local, antes um pântano, é suspeito de ter custado a vida do governador Edmundo Pinto, assassinado misteriosamente em 1992, num hotel de São Paulo, quando ia depor na CPI que apurava desvios de verba na construção do canal que corta o parque. Foi um escândalo de repercussão nacional bem ao gosto dos tempos colloridos. Dizem que o governador cometeu a imprudência de antecipar os nomes que iria denunciar em Brasília.

Agora, não há mais pântano, nem no sentido próprio nem no figurado.

Igual ou melhor do que o Parque, só a orla da Gameleira, que tem esse nome por causa da árvore colossal, centenária, plantada ali. Ela tem vinte metros de altura, 2,5 metros de diâmetro e é um marco natural da cidade. Não sei se existe no Brasil um calçadão mais bonito do que esse. Com quase um quilômetro de comprimento e três vezes mais largo do que os de Copacabana e Ipanema, ele margeia o rio Acre, cujos barcos ancorados chegam a dar a ilusão à noite de uma paisagem marinha.

A cidade começou aí, como atesta o velho casario agora revitalizado, todo pintado de cores vivas e voltado de frente para o calçadão e a margem do rio. Jovens namorando nos bancos, velhos passeando, ciclistas, burburinho, a brisa da noite, um salão de forró animado com longa fila na porta, tudo isso dá ao lugar um tom de festa ao ar livre que não conheci da outra vez.

Outra mudança com carga simbólica é a da sede do governo, o Palácio Rio Branco, que expressava a degradação da época em que conheci o Acre. O prédio sujo, cheio de mato e de goteiras estava sendo pilhado. Até imensos e pesados lustres de difícil transporte haviam sido roubados. Depois de anos de restauração, o palácio está aberto ao público e funciona como museu, cujas salas foram concebidas e ambientadas por Bia Lessa, enquanto as mais de cem peças de madeira do interior, entre sofás, cadeiras e mesas, têm a assinatura da designer Etel Carmona. Como se diz com orgulho no Acre, "é o primeiro palácio do mundo com selo verde".

De fato, a madeira dos móveis é manejada e tem selo de certificação de origem. Entre as obras-primas desenhadas, destaca-se a enorme mesa de sucupira maciça para reuniões. Pelo mobiliário, o espaço constitui uma das "joias da floresta", para usar o nome do movimento integrado por Etel, Cláudia Moreira Salles, Carlos Motta, Isay Weinfeld, e cuja inspiração é a Amazônia.

Rio Branco já tem direito até a nostalgia bucólica. Há quem reclame do progresso, "dos carrinhos de supermercado em detrimento de carregar sacolas pelo velho mercado central". O lamento é de um cronista local: "O acreano de hoje faz rodinha em nossos arremedos de shopping, frequenta com prazer as pizzarias, boates e outros bunkers da moda, com a mesma desenvoltura que paulistas e cariocas trafegam por sua selva de pedra, tão contrária à nossa". Ele não é contra a modernidade, mas sonha com a conciliação: "Que consigamos comer mandi com farinha e macaxeira com os pés no rio e, ao mesmo tempo, mexer na tela do computador para enviar mensagens a quem prezamos". No novo Acre, computador, internet e celular começam a invadir aldeias indígenas e seringais.

Mas o mais importante não era isso e sim a palavra que aprendi na noite de chegada: sobrosso. Quem me ensinou foi Elson, que acabara de subir o rio Juruá numa viagem de dez dias de barco. Ele voltou impressionado com a alegria e disposição das pessoas. "Os seringueiros, os ribeirinhos estão libertos, eles que viviam dentro da mata acossados e tinham medo de chegar à margem do rio, que é a estrada da região, porque ela era do seringalista, do patrão."

Elson admite que eles ainda não tiveram uma grande melhoria de vida, se compararmos com os padrões das cidades mais urbanas. "Mas vivem agora em total liberdade, com garantia da terra, seguros em relação às suas famílias, não estão mais acossados." E foi então que surgiu a palavra nova: "Eles perderam o sobrosso". "Sobrosso", ele me explicou, "é aquela coisa angustiada pairando no ar, que não se sabe bem o que é, mas se sabe ser uma ameaça." Em suma, é o que na minha terra se chama medo.

O quente é o kambô

Uma de minhas frustrações na primeira viagem ao Acre foi não ter sentido qualquer reação ao experimentar o chá do Santo Daime. Voltei para o Rio humilhado, sem ter tido uma miração sequer, sem nada para contar, a não ser histórias e sensações dos outros. Elson, por exemplo, contava com orgulho como chegou a se transformar em bólido, vendo o planeta lá de cima. E eu, nada, nem um baratozinho, embora já me contentasse em ser um mero planador.

Por isso, fiquei tentado quando agora ele mesmo procurou me convencer a realizar outra experiência fitoterápica a que acabara de se submeter. Dessa vez tratava-se da "vacina do sapo" ou "kambô", que consiste na aplicação de uma secreção retirada de uma espécie de rã que habita próximo aos igarapés nos períodos de chuva. A coleta do material é feita de madrugada e exige conhecimentos que são transmitidos de geração para geração.

Como se fosse repetir o ritual, Elson esticou o braço sobre a mesa, a palma da mão para cima, e mandou que eu observasse as sete picadinhas feitas entre o pulso e a dobra do antebraço.

Podiam ser nove, mas meu amigo preferiu sete, alegando que as mulheres, que se consideram mais sensíveis, tomam cinco. Devem ser três as aplicações, de trinta em trinta dias. Ele só havia feito a primeira da série. Uma operação simples: o curandeiro pegou um cipozinho fino colhido na mata, queimou a ponta e com ela ainda quente fez as sete pequenas queimaduras; em seguida, passou a secreção em cada um dos furinhos.

"Antes de terminar a aplicação", conta Elson, "você é invadido por uma forte onda de calor com o sangue subindo para a cabeça. Depois, durante uns quinze minutos, você sente fraqueza nas pernas, tonteira e tem que se sentar, além de uma certa vontade de vomitar. Há gente que vomita." Tudo isso, porém, é compensado pelo bem-estar que se segue. "Você sente uma energia incrível, parece que a vida se renovou, você é outro."

Tomar a vacina do sapo com fins medicinais não é uma novidade para os povos indígenas, que usam a terapia também para afastar a "panema", ou seja, a má sorte na caça e com as mulheres. O que havia de novo agora, pelo menos para mim, era a frequência com que se estava adotando a prática em Rio Branco. Num bar, das cinco pessoas na mesa, três já tinham feito a experiência, e insistiam para que eu também fizesse.

Para quem estava procurando sinais de mudança, mais esse. Me imaginei descendo no Rio de Janeiro e anunciando para meus amigos verdes: "Lucélia, Minc, Gabeira, o Santo Daime não está com nada; o quente agora é a vacina do sapo verde, é o kambô, gente, pode crer".

Como sempre nesses casos (a biopirataria na Amazônia é um fato), os gringos chegaram na frente, e pelo menos desde os anos 1980 pesquisam propriedades e substâncias da secreção do sapo verde, entre as quais a dermofina e a deltorfina, que já são produzidas de forma sintética e usadas para fortalecer o sistema imunológico e como antibióticos. Já se encontra uma dezena de registros e patentes no Japão, Itália, França, Israel e, principalmente, EUA. Elson soube que as substâncias isoladas e patenteadas são justamente as mais fortes, com comprovado efeito curativo contra o câncer e a Aids, sem falar no colesterol.

Um colega seu que tomou sentiu uma forte dor nas costas. "Ele não sabia, mas quando foi ao médico descobriu, graças à vacina, que tinha pedra nos rins. Ela desobstrui tudo, o que tiver de ruim vai aparecer, porque o processo expõe todo o mal acumulado no sangue e no corpo." Como supostamente a substância dilata as veias, o sangue corre mais rápido e dá, segundo os pacientes que conheci, a sensação de limpeza.

Não quis experimentar por medo da reação. Daquelas pessoas da mesa que haviam tomado a vacina, uma teve reação alérgica forte. Ficou com o rosto todo inchado; a outra desmaiou; a terceira vomitou a alma. Tudo por pouco tempo, é verdade, mas mesmo assim não me animei. E se o efeito demorasse? O que seria do livro se eu passasse alguns dias vomitando?

No dia de meu embarque, fui com Elson entrevistar o vice-governador do estado, Arnóbio Marques Binho. Eles não se viam há algum tempo e Binho confessou que na última vez em que se encontraram ficara preocupado com a aparência do amigo. Estava muito abatido. "Agora você está outro, Elson, remoçou, o que houve?" Ele não sabia da experiência com a vacina.

Confesso que diante do espanto do vice-governador me arrependi de não ter feito a experiência. Seria uma merecida surpresa para minha mulher. Mas, e se em vez de uma benfeitoria eu chegasse com o corpo todo inchado? É, foi melhor assim, fica para outra viagem. Eu não tinha tempo para me arriscar numa aventura como a do kambô, por mais tentadora que fosse.

O futuro é aqui

Há várias maneiras de defender o sistema de vida dos seringueiros, seu modo de produção, sua visão de mundo, seus valores e costumes, suas tradições. A defesa mais original, porém, costuma ser feita pelo "Professor Rego", como é conhecido José Fernandes do Rego, um agrônomo cearense de 61 anos, magro e baixinho, de fala mansa, que há 35 anos se mudou para o Acre, do qual é hoje um especialista. Ele usa o argumento da modernidade.

Sua tese é que essa região abriga, como nenhuma outra, os três fatores fundamentais para o futuro da humanidade, ou seja, para seu desenvolvimento sustentável: a sociodiversidade, a água e a biodiversidade. Segundo ele, esses elementos só existem em sistemas naturais do tipo da Amazônia, em especial no Acre. Em outras palavras, está se falando de diferenciação e variedade culturais; da abundância de um bem que está em extinção no mundo; e da incrível riqueza de nossa floresta. "Ali no Parque Nacional da Serra do Divisor", ele diz apontando no mapa a linha montanhosa que divide o Brasil do Peru, "está a mais alta biodiversidade do mundo. São 800 mil hectares."

De acordo com o professor, "esse potencial aproxima os povos que vivem na floresta do que há de mais avançado em termos de tecnologia e de novas formas de produção". Seria o oposto do que o capitalismo moderno tem tentado como solução para seus impasses. São experiências e conhecimentos distintos dos que oferece o mundo industrial e urbano com seu modelo de desenvolvimento que levou o planeta a uma crise ambiental sem precedentes, em decorrência da degradação e do esgotamento dos recursos naturais. A novidade hoje, o contemporâneo, seria justamente o saber dos velhos costumes e das tradições.

No campo da saúde, da medicina e da indústria de fármaco, por exemplo, cita o professor, já se sabe que só a biodiversidade propicia cura para enfermidades como a Aids e tantas outras que estão surgindo. Não por acaso tem recrudescido na Amazônia a biopirataria, a espionagem científica, o contrabando, a apropriação de fórmulas medicinais e de recursos fitoterápicos. "Não existe indústria de remédio daqui para a frente sem o conhecimento tradicional, que é prático e ao mesmo tempo simbólico, mas sobretudo real. Por isso está sendo roubado."

Quando esteve na serra do Divisor, na nação dos Naquinis, o professor ouviu do cacique um relato de fartura: "Isso aqui tem muita vida, muito alimento. Eu saio para caçar de dia e para pescar de noite. Vou lá no rio ladeando a serra e trago comida para até trinta dias".

Em seguida, ao participar de uma reunião com umas duzentas pessoas, o que mais chamou sua atenção foram "as crianças sadias, bem nutridas, bonitas, indicando que de fato existe lá uma boa alimentação". Nessa mesma região, no rio Moa, ele ficou impressionado com a quantidade de cobras existentes. "Não encontrei uma pessoa que não tivesse sido mordida por uma." Quis saber o que faziam quando eram mordidas e soube que as vítimas eram levadas para o pajé, o médico da tribo. "E qual é a mortalidade em consequência das mordidas?", ele perguntou. Não conheciam nenhum caso.

No dia em que estive com o professor Rego, deputados da oposição acusavam o governo Jorge Viana de ter desmatado mais do que os anteriores. A denúncia, baseada numa verificação atribuída ao Instituto Nacional de Pesquisas Espaciais (Inpe), dizia que o Acre estava perdendo 1% de sua cobertura vegetal por ano. Entre os esclarecimentos e desmentidos, havia uma nota do Inpe classificando de "incorreta" a taxa de desmatamento anunciada.

O professor não deu importância à polêmica, argumentando que no ranking dos estados da Amazônia Legal que mais desmatam, no período 1988–2002, o Acre ocupa o sétimo lugar, entre nove pesquisados. O estado responderia assim por 2,7% da área desmatada, perdendo apenas para Roraima (1,1%) e Amapá (0,3%). O primeiro colocado seria o Pará, com 33,9% de desmatamento. Durante o governo Jorge Viana, a taxa média de desflorestamento seria também inferior à da Amazônia em geral: 0,32% contra 0,49% em 1999, 0,40% contra 0,52% em 2000 e 0,31% contra 0,52% em 2001.

A exemplo de Chico Mendes, o professor Rego não propõe transformar a floresta em santuário. Prefere falar de uma "economia da floresta" e de um "neoextrativismo", sugerindo que o homem acreano viva da floresta, de tudo o que ela lhe pode dar. Mas, adverte, é preciso usar com sabedoria e racionalidade os recursos ambientais para que se possa usá-los sempre. Desse modo, os produtos e serviços florestais — castanha, borracha, madeira, comésticos, artesanato, palmito, frutas tropicais, ervas, ecoturismo — podem se tornar negócios voltados para o mercado. Acostumado a viver em harmonia com o meio ambiente, o homem da Amazônia — o seringueiro, o índio, o ribeirinho — sabe como preservá-lo. A floresta é fonte de sua subsistência, além de lugar de moradia.

"O colonizador, o que vem de fora, esse sim vê a floresta como algo estranho, hostil, inconveniente, que deve ser derrubado para dar lugar ao cultivo da terra, à pecuária ou à agricultura." Nos anos 1970, a invasão do Acre pela pecuária extensiva, numa operação estimulada pelos incentivos fiscais, provocou o conflito e o choque dramáticos entre duas visões de mundo. De um lado, os seringueiros tentando preservar seu modo de vida. De outro, os que chegavam devastando a floresta e expulsando os nativos.

Aproveitando a época de falência dos seringais e de débitos e insolvência dos seringalistas junto aos bancos, os especuladores compraram por preço baixo cerca de 5 milhões de hectares, ou um terço das terras do Acre.

De acordo com as conclusões do professor Rego, Chico Mendes teve a aguda percepção de que a defesa da floresta pelos seringueiros não significava luta pela terra, mas pela preservação dos recursos naturais. "Para o seringueiro não é importante ter a propriedade da terra, mas sim ter acesso aos recursos da floresta, que é onde ele mora e de onde tira seu sustento."

Essa concepção faz com que no Acre o conceito de reforma agrária seja outro. "Na verdade", explica o professor, "nós não precisamos de um reforma agrária, pelo menos no que diz respeito à propriedade da terra. Na Amazônia não é a terra que precisa ser dividida; a floresta é que não pode ser privatizada."

Xapuri, ainda uma atração

Eu estava ansioso para voltar a Xapuri, com a qual mantive — como sabem os que leram a primeira parte do livro — um caso de amor rápido, mas intenso. Curioso é que de fato eu ficava imaginando-a como se fosse uma pessoa. Teria crescido? Será que estava mais bonitinha? Continuava animadinha à noite? Na verdade, uma coisa eu queria ardentemente que tivesse mudado para melhor: o Veneza Hotel. Não suportaria mais passar ali nem uma noite. Se não houvesse outro jeito, proporia a Júlia e Elson dormir no banco de uma das praças. Ficaríamos batendo papo até cairmos cada um para um lado.

Mas Xapuri começou a me surpreender antes que eu chegasse. Como a viagem ao Acre seria corrida, com muita gente para rever e lugares para revisitar, tomei a precaução de ligar do Rio pedindo a Júlia que providenciasse um daqueles monomotores que tantas vezes me levaram ou trouxeram de lá. Não tinha mais tempo nem idade para repetir as aventuras de antigamente: carro atolado no lamaçal, noite ao relento. Iria com as horas contadas. Júlia deu uma gargalhada do outro lado: "Agora se vai a Xapuri de carro em uma hora e meia, no máximo em duas horas. A estrada é ótima!".

Só acreditei mesmo quando a nossa Ranger XLT, tração nas quatro rodas, devorou aqueles 180 quilômetros como se deslizasse sobre uma suave avenida. Não deu nem para botar o papo em dia. Foi uma viagem rápida. O mais inesperado ocorreu na chegada. Antes de ir para o hotel (eu ainda não sabia onde iríamos nos hospedar), resolvemos dar um pulo ao Centro para assistir a um anunciado comício ou festa, não sabíamos bem. Na realidade, era uma passeata. Sim, uma passeata, ou melhor, um "Manifesto pela paz": estudantes, jovens, adultos, autoridades desfilando pelas ruas portando cartazes e gritando palavras de ordem contra as drogas, os assaltos e contra a violência doméstica. Não era possível. Em pequena escala, parecia a repetição do que eu vivera semanas antes em Copacabana.

Alguém me informou que o prefeito estava ali no meio. Procurei, mas ele me achou primeiro. Nosso encontro foi de amigos fraternos. Enquanto nos abraçávamos emocionados, não resisti: "Que é isso, Júlio, nossa Xapuri virou cidade grande?! Violência urbana, cara!". Meio sem jeito, ele teve que admitir: "Pois é, no seu tempo era a violência do latifúndio, a disputa da terra; agora temos que enfrentar a droga".

Eu já sabia que esse era o segundo mandato de Júlio. Mas uma coisa é saber disso à distância, outra é vê-lo ali mais gordo, um pouco mais careca, no papel de O Prefeito, ele que, há quase quinze anos, fora meu cicerone, paciente e incansável, pelos misteriosos caminhos da floresta e do rio Acre.

Ainda estava conversando com Júlio quando apareceu Raimundão, ou melhor, dobra a língua, o vereador Raimundo Mendes de Barros, que foi logo me dando um daqueles abraços de tirar o fôlego. Com uma altura e envergadura que me deixam pequeno e esmirrado, Raimundão não abraça, sufoca.

Marcado o jantar para a noite, seguimos em direção ao hotel, que Júlia e Elson só agora iam dizer qual era. Ao descer do carro vi que não se tratava de um hotel, mas da Pousada Villa Verde, um conjunto de chalés de madeira espalhados por um amplo terreno gramado e arborizado, cortado por estreitos caminhos de tijolinhos, dos mesmos que se encontram em algumas ruas da cidade.

Só mesmo o amor explicaria o milagre. O dono da pousada, Michele Vattolo, um viajado italiano de 41 anos, um dia passou por Xapuri, apaixonou-se por uma nativa, resolveu ficar, comprou um terreno, e assim nasceu a Villa Verde. Simpático e falante, contou que vivera sempre a mil metros de altura, no meio da neve, nos Alpes. Era evidente que o calor amazônico e os mosquitos daquele anoitecer deviam estar incomodando-o, pelo menos tanto quanto a mim, mas o que era isso diante do amor?

Pena não poder conversar mais. Já estava na hora de encontrar nossos amigos. Deixamos as bolsas nos quartos e partimos, dando antes uma chegada à rua do Comércio, que está outra. A iluminação, a restauração das casas antigas, as fachadas pintadas em diversas cores lembram cidades históricas.

No lugar combinado para o jantar, outra surpresa: mais uma pousada, a Pousada Chapurys (mantendo a ortografia original). Ao contrário da Villa Verde, que só tem seis apartamentos, essa dispõe de dezenove quartos e é, segundo a propaganda, "uma das melhores da cidade".

Raimundão e Júlio não demoraram a chegar. Ainda estávamos nos ajeitando à mesa quando um homem mais barrigudo do que gordo veio nos servir me chamando pelo nome. Eu não me lembrava dele, mas era João, o proprietário, que em 1990 trabalhava num banco e morava na parte de trás da casa que o JB alugou para nos alojar durante o julgamento dos assassinos de Chico Mendes.

O encontro com os amigos parecia uma sessão para botar o papo em dia. Nos lembramos de como havíamos nos conhecido, do passeio pelo rio com Júlio, da conversa com Raimundão na cozinha da casa de Chico Mendes, ele ainda arrasado, lembrando detalhe por detalhe a execução de seu amigo e primo, a falta dos que não estavam mais por lá, como Nicácio. E falamos sobretudo de como as coisas haviam mudado. Fiz para eles a pergunta que iria repetir daí para a frente: o que mudou nesses últimos quinze anos?

O primeiro a responder foi Raimundão: "Mudou tudo. Hoje não somos mais humilhados nem ameaçados, somos donos de nossa terra". Queria exemplos? "O prefeito, que está em segundo mandato, é seringueiro; eu já estou na minha quarta eleição, um feito inédito; o governador, reeleito, é engenheiro florestal, a ministra de maior prestígio internacional é seringueira, o líder do governo no Senado é daqui, o presidente sempre foi um dos nossos grandes amigos."

Das novidades contadas por Raimundão, havia uma que podia não ser histórica, mas que deve ter alterado sua vida. As nove horas que ele levava "de a pé" para chegar à sua casa no Seringal Floresta se transformaram agora, depois que um trator acertou a estrada, em meros 25 minutos, pelo menos quando usa a "motinha" que comprou.

Na mesa em frente do varandão aberto que servia de restaurante estava um grupo de estrangeiros: um jovem louro, uma mulher parecendo asiática e outra de pele clara que veio até nossa mesa para ser apresentada. Era a americana Bárbara, moradora do Rio, uma quase-carioca. Estava funcionando como intérprete da cineasta indiana sentada a seu lado e que fora ao Acre entrevistar seringueiras para um documentário sobre mulheres em várias partes do mundo. Daí a pouco, às quatro da madrugada, partiriam para o Seringal Cachoeira.

Com certeza nos encontraríamos lá. Mas nós iríamos um pouco mais tarde.

Pelo visto, só isso não mudara: Xapuri continuava atraindo o interesse do cinema internacional.

No meio da mata

Uma certa descompensação causada pelo fuso horário ainda me faz acordar cedo no Acre, mesmo dormindo tarde. Como das outras vezes, às seis da manhã eu já estava de pé, pronto para o café que íamos tomar com Júlio e Raimundão, ali mesmo na varanda da pousada. A jornada prometia ser árdua porque ia incluir uma expedição a dois seringais, fora o bordejo que eu pretendia dar pela cidade: queria rever alguns lugares. O primeiro seria evidentemente a casa onde morreu Chico Mendes.

Ela se encontra bem conservada e virou atração turística. A média de visitas nos fins de semana, me informa Neide, irmã de Ilzamar, que toma conta do local, é de cinquenta pessoas, do Brasil e de fora.

Entramos pelos fundos, Júlio me servindo de guia, embora eu conhecesse a casa de cor. Ele vai lembrando: "Aqui estão os furos da bala, porque essa porta abre pra cá. Ali estava o pistoleiro, encostado perto do coqueiro" (nessa altura eu ainda não tinha ouvido do delegado Nilson sua nova versão para essa cena, o que dá uma reviravolta, se não no caso, pelo menos em relação à autoria material do crime, como se verá a seguir).

Já entrando na cozinha, percebo que agora há plaquinhas de metal penduradas por fios de nylon quase invisíveis, reconstituindo os últimos passos do líder seringueiro, um relato bem *naïf*, como se ele estivesse narrando. A de nº 1 diz: "Estou sentado às 6h30 jogando dominó". A segunda informa: "O jogo é interrompido, Ilzamar coloca as panelas e os pratos para o jantar". Na de nº 3: "Me levanto, vou em direção ao banheiro". E assim por diante, até a oitava placa: "No corredor me atiro nos braços de meus filhos e Ilzamar".

Em frente à casa, basta atravessar a rua, foi erguida a sede da Fundação Chico Mendes, uma digna construção de madeira que eu não conhecia. Ainda é cedo, mas já há um razoável movimento de peregrinos. No livro, vejo assinaturas de visitantes da Alemanha, EUA, Holanda.

O que mais me impressiona é a foto ampliada tomando toda a parede. Aí aparece Chico com o pequeno Sandino no colo. Pelas dimensões, nitidez e qualidade, não se tem dúvida de que é a imagem de um herói. Não se trata de uma foto, mas de um ícone.

Como quem sabe de cor essa história, Júlio vai contando. "Aqui está a foto do julgamento: o [José] Genoíno, a ministra Marina [Silva] na primeira fila. Nessa aqui a gente tá saindo para o enterro. Olha o Lula discursando. Aqui é quando o Chico foi aos EUA, em 87, para participar da assembleia do BID."

Passamos para a varanda e o prefeito resolveu falar de um episódio que eu não conhecia. "Era pra ele ter morrido ali onde está aquela moto", aponta com o dedo. Júlio conta que viu Chico Mendes vindo da rodoviária em direção à sua casa quando cruzou com Darly e Alvarino indo em sentido contrário. Os dois irmãos enfiaram a mão na bolsa ao mesmo tempo e seguraram o cabo do revólver. "Naquela hora eu senti que eles tiveram vontade de dar um tiro no Chico."

A morte só ocorreria nove meses depois, mas a partir daquele momento "o ódio era tão grande" que Júlio não teve mais dúvida do desfecho.

Antes de sairmos para os seringais ainda deu tempo de uma chegada ao Polo de Indústrias Florestais, ou "Polo Moveleiro", onde a designer Etel Carmona, mineira radicada em São Paulo, criou com alguns sócios a empresa Aver Amazônia para fabricar móveis com madeiras certificadas, utilizando as mais refinadas técnicas do design e da marcheteria.

No dia anterior, ao visitar o palácio, eu entendi a razão de tanta demanda externa pelos móveis da região. Agora eu estava vendo a fábrica. O gerente vai nos mostrando a oficina e explicando o processo de fabricação. Ali se aproveita a árvore inteira, da raiz aos galhos, inclusive os defeitos, não apenas a parte nobre. A madeira vem do Assentamento Agroextrativista Chico Mendes, a área de 27 mil hectares que vamos conhecer em seguida. Dezenove famílias de seringueiros cuidam da extração, que obedece a critérios rígidos: uma árvore só pode ser abatida se ela já for considerada uma "árvore mãe" e se tiver, num raio de duzentos metros, pelo menos uma "filha" e duas "netas". Só depois de dez anos o ciclo recomeça. É um desmatamento seletivo que não degrada o meio ambiente.

Todo o processo é monitorado pelo Conselho de Manejo Florestal, o FSC na sigla em inglês, uma entidade com mais de quinhentos filiados em 49 países que já certificou 25 milhões de hectares de florestas no planeta, emitindo selo verde para mais de 20 mil produtos.

A criação do distrito industrial foi o primeiro projeto de Júlio Barbosa, o que lhe valeu o prêmio nacional de Prefeito Empreendedor. Um ano antes, em função de uma viagem de dom Moacyr Grechi, Marina Silva e o padre Luiz, então pároco da cidade, à região de Como, terra natal do padre, surgiu na Itália o movimento Aliança pela Amazônia, que fez campanha de captação de recursos para a aquisição de máquinas e para a construção do prédio que estávamos visitando.

O tempo rende em Xapuri. Às nove horas saímos finalmente para os seringais Cachoeira e Equador: Júlia, Elson, Júlio e eu num carro e, em outro, o professor Rego. Eu ia ver na prática muito do que ele me falara na véspera.

Em uma hora, estávamos lá. Mas antes, no meio do caminho, tivemos que dar uma carona a Duda Mendes, um jovem que seria a cara de Chico Mendes quando jovem se usasse bigode. Mas como tudo nessas bandas lembra o líder assassinado, que parece estar pronto a surgir de cada canto, achei que era impressão minha, até saber que de fato os dois eram primos em primeiro grau.

A visita de agora seria na região em que Chico começou a morrer. Pouco antes, Júlio me dissera: "O empate do Cachoeira foi que levou o Chico direto para a boca da espingarda". Ele ainda realizaria mais um confronto, o último, no Seringal Equador, mas o de Cachoeira, impedindo a entrada de seu inimigo Darly, é que teve ares de epopeia.

Eram cem seringueiros diante de cinquenta policiais armados tentando garantir o desmatamento. De repente, de improviso, as mulheres e crianças do seringal começaram a cantar o Hino Nacional e os soldados se perfilaram em posição de sentido. O comandante da operação não viu outra saída senão suspender a derrubada.

Esse relato faz parte das narrativas míticas da região, e pode ser ouvido em várias versões, variando o número de participantes e a dramaticidade do episódio. Em todas, porém, está presente uma personagem tão frágil de saúde quanto corajosa: Marina Silva.

Uma cena memorável me aguardava. Mas para isso seria preciso transpor uns trezentos metros de trilha, ou melhor, "picada", com tocos de árvores pelo chão, galhos ameaçando os olhos, troncos atravessados, folhas espalhadas, uma série, enfim, de obstáculos que um bicho do mato tira de letra e um bicho do asfalto considera quase impossível.

Pelo menos a cabeça está protegida por um desses capacetes de plástico que se usam na construção civil e em outros lugares de perigo. Júlia vai na frente e Júlio logo atrás, seguido de Elson. Júlia é minha bússola. Nascida num seringal, essa brava militante sindical, fundadora do PT, da CUT e dirigente do Comitê Chico Mendes e do CTA, vai abrindo caminho com uma agilidade que me tira o fôlego.

No meio da mata encontramos um grupo de umas dez pessoas, na maioria jovens, incluindo duas moças. Estamos no meio da colocação Cueba, Seringal Equador, onde o instrutor Nilson Teixeira Mendes, do Seringal Cachoeira, está dando uma espécie de aula. Ele não gosta de ser chamado de instrutor ou consultor, muito menos de líder, mas é um pouco de tudo isso. "Estou apenas transmitindo o conhecimento prático de uma coisa que a gente vem fazendo há quatro anos no Cachoeira", ele se justifica.

Essa "coisa" era o manejo florestal, que o professor Rego, ali ao lado, já me ensinara ser um conjunto de técnicas e modos de extração da madeira, o que significa explorar a floresta sem destruí-la, extrair suas riquezas sem devastá-la.

Quando chegamos, Nilson falava das exigências para obter a certificação ou selo verde. Além da série de normas que têm que cumprir, como arrastar as toras sem danificar a mata, eles aprendem como administrar os primeiros socorros. Um bombeiro já havia estado lá dando treinamento para os casos de acidente. Nessa manhã de sábado, Nilson explicava como era importante que todo dia, antes de entrar na floresta, eles repetissem o DDS, Diálogo Diário de Segurança, que se resume num útil ensinamento: "vê onde pega e olha onde pisa".

Acho que só aí me dei conta de onde eu estava e o que me cercava. Com fobia doentia de cobra, a ponto de não poder vê-las nem em foto, procuro controlar meu pânico enquanto vou ouvindo as lições de Nilson, que pareciam todas voltadas para mim: "É preciso tomar cuidado porque você pode estar pegando sem saber uma tucandeira, um escorpião ou uma papagaia". Dos três, eu só conhecia escorpião, do qual não tinha boas recordações: meu pai já fora mordido e sempre dizia que a dor era insuportável. Mas o meu problema não era com escorpião. Tomo coragem e pergunto o que é tucandeira.

— É uma formiga que a picada chega a doer vinte e quatro horas.

Até aí tudo bem, troco uma visão de cobra por qualquer dor.

— E papagaia? — pergunto já com medo do que pudesse ser.

— É uma cobrinha muito venenosa que gosta de ficar em cima das árvores — esclareceu Nilson, tranquilo, como se estivesse falando de uma borboleta. — Se balançar os galhos, ela pode cair em cima de você.

O "você" significava "gente", "qualquer um", não especificamente eu, claro. Mas isso acho agora. Na hora, olhei para cima e não vi o céu, só árvores, milhares, enormes, cada uma escondendo uma papagaia, pronta a se lançar sobre mim. Onde está Júlia?

Nilson, fluente e articulado, continuava falando do que importava para ele e seus companheiros. "Queremos acumular esse patrimônio para nossos filhos e netos: uma Amazônia preservada e produtiva. A adoção do manejo traz benefícios econômicos, porque aumenta a produtividade do trabalho e reduz o desperdício de madeira."

Nilson falando e eu, com os movimentos paralisados para não atrair cobra, só pensava em como sair dali.

Desorganizando o crime

Na casa em que morava Elson Martins em Rio Branco, mora hoje o desembargador Arquilau Melo, casado com Regiane, irmã da juíza Regina, que é mulher de Adair Longuini, o juiz que condenou os assassinos de Chico Mendes. Ainda viriam mais dois juízes. Parecia uma reunião da magistratura. A casa continua a mesma, mas o terreno apresenta agora duas novidades: na frente, um pequeno açude onde o dono cria peixes para consumo próprio; nos fundos, um agradável pavilhao redondo, coberto por telhas e todo aberto. A mesa grande, o fogão e os espetos não deixam dúvida de que o espaço serve para churrasco, que era o que se ia comer naquele domingo: churrasco de peixes mandi e tambaqui.

Ali estava se reunindo o que a Justiça do Acre teve e tem de melhor. Arquilau e Longuini são personagens conhecidos de nossa história. O primeiro, como se sabe, era o único advogado em quem Chico Mendes confiava. Defendeu-o no processo em que, junto com Lula, fora enquadrado na Lei de Segurança Nacional nos anos 1980. É desse momento a frase que levou o então líder sindical à prisão: "Tá na hora da onça beber água", anunciou Lula num comício. Todo o trabalho da defesa foi tentar mostrar que a frase não queria dizer o que provavelmente quis.

Quanto a Longuini, bem, Longuini é um de meus tipos inesquecíveis do Acre. Os dois novos personagens eu não conhecia, só à distância, de fama e notícia em jornal: Pedro Francisco da Silva e Jair Facundes.

Minha primeira reação ao ser apresentado a eles foi de espanto: "Mas são duas crianças!", não sei se disse ou se apenas pensei. Pedro Francisco, tudo bem, ainda vai. Tem 37 anos e cara de quem tem 37 anos. Mas Jair tem cara de vinte e poucos anos, embora tenha 33. Fiz um cálculo rápido e vi que os dois somados ainda não davam a minha idade. Havia um terceiro, Davi, ainda mais jovem, 32 anos, que estava viajando.

Arquilau me havia dito: "Foi uma bênção esses jovens terem assumido a Justiça Federal no Acre". À coragem e competência dos três se deve o desmantelamento da organização criminosa comandada pelo então deputado Hildebrando Pascoal, que ficou famoso nos anos 1990 pelo poder que detinha no estado e pela crueldade: cortava suas vítimas ainda vivas com uma motosserra. Condenado a mais de trinta anos, está cumprindo pena na penitenciária de Rio Branco com mais 37 cúmplices.

Para isso foi preciso a união de várias forças e ações, como a do desembargador Gercino Silva, que apresentou denúncia contra Hildebrando apesar das várias ameaças de morte que sofreu. "Numa luta como essa não cabe vaidade, nem pessoal nem institucional", me explica Pedro Francisco. "Se a Itália teve as mãos limpas, nós tivemos as mãos dadas."

Com ramificações em todas as instituições do estado, a organização de Hildebrando parecia inexpugnável. Pedro conta como era a estrutura: "O comando tinha um braço na Polícia Militar e outro na Polícia Civil; os pés eram formados pelos traficantes de drogas; no centro da organização estavam os matadores profissionais". Coronel e deputado federal, Hildebrando tinha como cunhada a chefe dos promotores do estado e, como comandante da PM, um primo, que cumpria suas ordens.

Quando seu irmão foi morto num acerto de contas entre quadrilhas, Hildebrando assumiu o comando das investigações, espalhou cartazes pela cidade oferecendo recompensa de R$ 50 mil pela cabeça do assassino, sequestrou a mulher e os filhos do suposto criminoso e acabou executando-o no Piauí. Detalhe: ele e o matador Raimundinho viajaram para lá com passagens pagas pelo gabinete do governador.

"Foi a ruptura total do estado de direito", diz Arquilau. "Hildebrando ditava as regras, impunha sua vontade e espalhava o medo e o terror por todo o estado." Para se ter ideia de até onde ia a ousadia da organização, basta citar um episódio. Assim que foi instalada no Acre a Comissão de Defesa dos Direitos da Pessoa Humana, do Ministério da Justiça, duas testemunhas procuraram o desembargador Gercino Silva dispostas a colaborar nas investigações: o policial civil Valter José Ayala e o bombeiro Crispim. Pouco antes de depor, ambos foram assassinados. A informação vazara. Como se descobriu depois, os bandidos tinham informantes dentro do próprio Tribunal de Justiça, cujo presidente passou a receber telefonemas com ameaças de que teria o mesmo fim das testemunhas.

Quando tudo parecia perdido, começou a reação. Os dois assassinatos detonaram a competência da Justiça Federal. "Desencavamos inquéritos que estavam parados na Polícia Civil", conta Pedro, "obtivemos informações da sociedade, estudos da diocese, colaboração da Igreja católica, da Comissão de Defesa, trabalhamos em várias frentes." Até uma cartilha foi elaborada com a lista dos trinta crimes de que era acusado Hildebrando, todos executados do mesmo modo: os corpos decapitados e com as mãos cortadas. "Precisávamos transformar as informações em provas. Nos articulamos com várias entidades civis e conseguimos elementos suficientes para começar ações penais contra ele."

No dia seguinte à perda de seu mandato na Câmara dos Deputados, Hildebrando teve a prisão decretada a pedido de Pedro Francisco.

Uma lei publicada em julho de 99 veio facilitar a operação "mãos dadas". Ela garantia proteção às testemunhas e permitia a concessão de perdão judicial aos réus colaboradores. "Então fomos atrás, fomos buscar dentro da própria organização do Hildebrando os informantes que possibilitaram desbaratá-la." Quinze pessoas foram logo amparadas pelo Programa de Proteção a Testemunhas.

Pedro Francisco e Jair eram estudantes de Direito quando foram a Xapuri assistir ao julgamento dos assassinos de Chico Mendes. Queriam ver o desempenho do juiz que era a referência dos dois. "O doutor Arquilau e o doutor Longuini são precursores", reconhece Pedro. "Eles tiveram muito mais dificuldades do que nós." Aliás, uma das imagens que o jovem advogado tinha do Acre quando deixou Cuiabá — "Eu queria ser juiz e saí fazendo concurso" — foi a de Longuini no dia do julgamento, em casa, sentado numa cadeira tomando chimarrão. "Contemplando aquela foto, fiquei imaginando como seria a vida de um juiz numa região distante da Amazônia, num país de impunidade."

Anos depois, o jovem juiz seria designado para Brasileia, onde substituiu a juíza Regina Longuini, mulher de Adair. A primeira coisa em que reparou foi numa cadeira: a de Xapuri. "Quando o doutor Adair apareceu para pegar a mudança, eu disse: 'guarda essa cadeira que ela é histórica'."

Se Pedro Francisco parece tranquilo, meio zen, Jair Facundes é elétrico, um azougue. São conhecidas suas histórias de irreverência. Quando atingiu alguns interesses de jornais locais, recebeu a ameaça de que teria sua vida devassada. "Fiz então um pronunciamento público dizendo que tinha medo de que descobrissem meus podres, como pertencer a uma religião nativa e ter furtado manga do vizinho quando criança."

— Soube que você é daimista.

— Nasci dentro dessa doutrina.

— Você toma Daime?

— A vida inteira, meus avós eram índios.

Nascido num seringal, o futuro juiz não virou seringueiro porque o pai quis que estudasse. Por que Direito? "Eu queria estar dentro da engrenagem para ver como funcionava um sistema que era pródigo em colocar na cadeia meus irmãos de classe e encontrava dificuldade para fazer o mesmo com pessoas em alta posição econômica."

Por sua religião e por suas atitudes, pela mania de contrariar poderosos, Jair já foi objeto de vários procedimentos internos, seja por insubordinação ou desobediência, seja por fazer uso do Daime. Tem sido salvo por seus méritos — costuma passar em primeiro lugar nos concursos — e pela produtividade. Em uma de suas defesas na corregedoria, sugeriu que o tribunal, em vez de perseguir os que estudavam e produziam, investigasse "juízes corruptos, alcoólatras e os que eram acusados de sair com prostitutas".

Além do destemor cívico, Jair tem coragem física, apesar de não dispor de fortes argumentos para isso. É quase franzino. No dia em que depôs na CPI do narcotráfico em Brasília, voltou no mesmo voo de Hildebrando, contra quem já tinha expedido mandados de busca e apreensão. A Polícia Federal, com medo de um incidente, tentou convencê-lo a descer do avião. Era melhor, a truculência de Hildebrando não conhecia limites, era abusado, destemido. Ele recusou: "O bandido aqui não sou eu". O então deputado de 1,90 metro sentou-se atrás do juiz de 1,70 metro, e a viagem transcorreu em paz.

"Medo?, claro que tenho", admite o corajoso Jair, "pela minha mulher e pelos meus filhos. Mas não deixarei de fazer nada do que tenho de fazer, até porque, se eu morrer, é porque Deus me chamou para prestar contas." Quanto a Pedro, embora dispensando segurança ostensiva, teve o cuidado de mandar o filho mais velho de dezessete anos estudar fora. Mantém lá o de catorze anos, que está sempre mais perto dos pais. Nenhum daqueles magistrados minimiza os riscos de reorganização da quadrilha ou o surgimento de outras, de rebelião e fuga. Mas têm tomado todas as precauções para evitar que isso aconteça.

Há um consenso entre os quatro juízes que entrevistei nesse dia. Eles reconhecem que a Justiça avançou no Acre nesses últimos quinze anos. Jair acha que a morte de Chico Mendes foi "um marco divisor", porque a condenação dos assassinos "serviu para mostrar que os poderosos também iam para a cadeia". Arquilau não tem dúvida de que os tempos são outros e que o deslocamento do foco — "a luta pela terra foi dando lugar à luta pelo meio ambiente, e a evolução do Chico já desenhava isso" — ajudou no "esfriamento das tensões no campo".

Além disso, a Justiça foi se consolidando em todo o estado. Ele mesmo, quando presidente do Tribunal, admitiu vinte juízes de uma só vez, na maioria jovens, numa terra em que era comum uma cidade como Xapuri ficar sem nenhum deles durante doze anos, sem falar na ausência de representantes do Ministério Público na maioria das comarcas. "Depois de viver sob o domínio do medo, com Hildebrando ditando as regras e espalhando o terror pelo estado", ele resume, "o Acre voltou a conhecer a tranquilidade."

Adair Longuini, o juiz do caso Chico Mendes, o magistrado do "julgamento do século", como se dizia na época, é o artilheiro do time de juízes do Acre que nesse domingo está disputando um torneio de futebol com as seleções de outros estados. Por isso se atrasou. Chega ainda suado e todo paramentado. "Você não viu nada", brinca Regina, "o apelido dele é Robocop, tal o aparato que usa para jogar."

Nos abraçamos, mas ele continua aquela pessoa contida, de riso raro, aparentemente fria, sempre delicado. Não se sabe se por temperamento ou dever do ofício, não expõe suas emoções.

— Quanto tempo, hein? — é o máximo de expansão.

— É, treze anos do julgamento e quinze da morte.

— É verdade.

Pede licença para tomar banho e na volta nos sentamos para conversar.

— Pelo que ouvi aqui hoje, a Justiça melhorou.

— Melhorou sim — afirmou, para logo em seguida abrandar a afirmação.

— Melhorou em termos. Há muita coisa ainda a fazer. O processo é muito devagar. O nosso sonho, o sonho de nós, magistrados, é que a Justiça evoluísse em tempo mais curto. Isso não acontece. Os pequenos progressos que a gente consegue estão sempre defasados em relação ao tempo e à demanda.

Pergunto se aos 51 anos ele vai se aposentar.

— Estou com seis anos sobrando para a aposentadoria, mas não a requeri na expectativa de que dias melhores virão para o Judiciário. Eles não chegam e você acaba se frustrando.

Brinco dizendo que o ceticismo continua o mesmo e que parece ironia ele falar de frustração, logo quem, o homem que ficou na história do Acre e do Brasil como o juiz que condenou os assassinos de Chico Mendes.

— Pessoalmente, se eu deixar a magistratura hoje, eu deixo com a cabeça erguida. Minha parte eu fiz. Nunca aceitei a corrupção, sempre defendi o lado bom da instituição. Saio de cabeça erguida, mas não completamente realizado. Saio sem ver concretizado aquele sonho de um Judiciário independente, com força para tomar suas decisões, inclusive contra o próprio governo, contra o próprio poder público.

A bigamia de Chico

Assim que cheguei de Xapuri, liguei para Ilzamar dizendo que queria reencontrá-la. Expliquei o motivo e marcamos para o dia seguinte às 7h30. A essa hora em ponto eu batia palmas na sua casa de varanda gradeada. Atendeu uma moça que depois se identificou como sua irmã, informando que Ilza estava no supermercado. Por sorte, pedira ao táxi para esperar um pouco. Sugeri que ela ligasse comunicando que eu já havia chegado. Voltou pouco depois pedindo desculpas, mas que acontecera um imprevisto e que eu marcasse outra hora.

— Minha irmã teve que acompanhar uma pessoa ao hospital.

— Quer dizer que ela não foi ao supermercado!

Do hotel liguei para Ilzamar, tentei de novo o encontro, insisti, mas não foi difícil concluir que ela não estava a fim de conversar comigo. Pena, porque pretendia tirar algumas dúvidas. Pouco antes de minha viagem, Marcos Sá Corrêa me passara as provas do livro em que Kenneth Maxwell republica a série de artigos que escreveu no *New York Times Book Review* sobre o caso

Chico Mendes. É dos melhores ensaios sobre o tema. Surpreende como, sem ter ido ao Acre, esse brazilianista inglês, que produzira uma obra definitiva sobre a Inconfidência Mineira, *A devassa da devassa*, conseguiu saber tanto do que se passa tão longe.

Sobre Ilzamar, ele diz: "a viúva de Mendes usou parte do dinheiro recebido dos direitos de filmagem do *The Chico Mendes story* para comprar uma pequena fazenda, apesar da conhecida desaprovação da pecuária e seus efeitos ecológicos por Mendes e seus companheiro ambientalistas".

Não pude confirmar isso nem rever Elenira, agora com quase dezenove anos (Sandino não está morando lá). Em compensação, conheci Ângela, a filha de Chico Mendes com d. Eunice. Ela veio ao hotel trazida por Júlia, com quem trabalha no CTA. Trouxe os dois filhos: Angélica Francisca (em homenagem ao avô), de catorze anos, e João Gabriel, de nove. Achei que Ângela se parecia com os pais, um pouquinho de cada um.

Pergunto pela mãe e conto minha ida até o Seringal Nova Esperança em 89 para descobri-la. Vou ao quarto pegar uma cópia das matérias e mostro a reprodução de uma foto de Eunice, com aquela beleza maltratada e sofrida. A filha se emociona. Diz que a mãe está muito abatida; não conseguiu se recuperar da morte trágica de um filho, esmagado por uma árvore que caiu. Prometo então mandar-lhe a série de fotos no seringal.

Com Ângela estavam o advogado Gomercindo Rodrigues e outros membros do Comitê Chico Mendes, cujo trabalho Júlia queria que eu conhecesse. Nesse mesmo dia eu havia estado no escritório do advogado para um reencontro que considerava difícil, porque na primeira viagem não nos entendemos muito bem. Como lembrara Júlia, eu escrevi que ele tinha "a cintura política de um elefante".

A frase indelicada não pegou bem, claro. Mas nas duas horas em que conversamos, nenhum sinal de ressentimento. Na saída tive vontade de dizer que retirava o que havia escrito há quinze anos. Gomercindo tem 45 anos e dezessete de Acre, dos quais sete foram vividos em Xapuri. Guma, como é conhecido, ou Goma, como o chamava seu amigo Chico Mendes, mudou-se para Rio Branco em 1993 para estudar Direito. Hoje é um dos maiores defensores dos seringueiros.

No escritório, reparei que havia uma pilha de livros num canto. Perguntei de que se tratava e ele disse que era o seu *Caminhando na floresta*, que ia ser lançado e no qual relata sua experiência no Acre. No exemplar que me deu, a seguinte dedicatória: "caminante, no hay camino, se hace el camino al andar. É como tentei escrever, não sei se consegui". Ficou contente quando identifiquei o verso do poeta espanhol Antonio Machado.

O prefácio é de Marina Silva, companheira de empates, como o de Cachoeira, e de tantas outras lutas lideradas pelo ídolo dos dois. "Hoje, olhando para trás", escreve a ministra do Meio Ambiente do governo Lula, "é interessante observar que a maneira atirada e impulsiva do autor parecia combinar bem com o estilo moderado e negociador de Chico Mendes. Quantas vezes, por exemplo, Chico tentava acalmar a inquietação de Guma, chamando-o para compartilhar de seu lazer preferido, uma partida de dominó."

Gomercindo Rodrigues é reconhecido até pelos adversários como um dos mais combativos discípulos que Chico deixou, o que me leva a uma correção: na primeira parte, onde está "cintura de elefante", leia-se agora "atirado" ou "impulsivo".

Foi graças a ele que no dia 9 de agosto de 2003 o juiz do município de Senador Guiomar reconheceu Ângela Maria Menezes Farrapo, de 34 anos, como filha de Chico Mendes, passando finalmente a assinar Ângela Maria Feitosa Mendes. Oficialmente, ela era filha dos tios Dione (irmã de Eunice) e Cláudio Farrapo, por quem foi criada em Rio Branco.

Ilzamar tentou o quanto pôde evitar esse reconhecimento na Justiça. Impetrou recursos, apelou, mas as provas eram indiscutíveis. O exame de DNA foi realizado com material fornecido por três irmãos de Chico — José Alves Mendes Neto, o Zuza, Francisco de Assis Alves Mendes, o Assis, e Celiza Mendes dos Santos — e deu um resultado que não admite contestação. Além disso, há testemunhas, como a parteira, que cheguei a conhecer em Cachoeira. "Eu aparei essa menina com as mãos", ela disse.

Ninguém entendeu a resistência de Ilzamar porque, como explica o advogado, Chico já era casado com Eunice quando se casou com ela. "A verdade", confessa Gomercindo, "é que Chico morreu bígamo." E por que o casamento não foi anulado? Quem responde agora é o desembargador Arquilau, depois de consultar o processo: "Porque Eunice, embora tenha restaurado o registro de seu casamento, não propôs a nulidade do casamento de Chico com Ilzamar".

Afinal, quem deu o tiro?

A Penitenciária de Rio Branco está irreconhecível. Tanto que foi preciso o Elson me lembrar que já tínhamos estado lá há treze anos. Nada a ver com aquele corredor sujo, as paredes descascadas, as janelas caindo aos pedaços daquela tarde de 21 de julho de 1990, quando fomos entrevistar os então prisioneiros Darly e Darci.

O diretor administrativo da casa agora é Othon Bastos, ou melhor, o delegado Nilson Alves de Oliveira. Até hoje lhe perguntam pelo filme sobre Chico Mendes no qual seu personagem deveria ser interpretado, se dependesse de mim, pelo ator que fez o Corisco em *Deus e o Diabo na Terra do Sol*, de Glauber Rocha.

Conversamos sobre as mudanças ocorridas nesses últimos quinze anos, e ele falou satisfeito de como a segurança pública havia melhorado no estado, embora a violência urbana seja hoje um problema, e não só em Rio Branco. Lembrou que há dez anos advertira para a necessidade de se preparar para enfrentar o fenômeno, que fatalmente surgiria com a abertura de estradas.

O desembargador Arquilau dissera algo parecido. Ele atribuía duas causas ao surgimento do crime organizado no Acre.

A primeira, mais remota, e nem por isso menos decisiva, seria conseqüência do processo de desmatamento dos anos 1970, com a expulsão dos moradores da floresta para a periferia das cidades. Só naquela década, a população de Rio Branco aumentou de 36 mil para 92 mil habitantes. O inchaço criou um caldo de cultura propício à exploração da miséria por meio da violência: prostituição, drogas, contrabando. A outra causa está ligada ao que Nilson disse: a melhoria das estradas facilitou a conexão do narcotráfico com poderosos centros produtores de cocaína como Bolívia, Colômbia e Peru.

Eu já tinha desligado o gravador, e tive que ligá-lo de novo, quando o delegado resolveu fazer uma revelação. Não era a informação de que, "por incrível que pareça, o Darly é meu vizinho, está aqui a algumas quadras, no Conjunto Universitário". Era mais do que essa curiosa coincidência.

A notícia que ia me dar, como se fosse a coisa mais natural, se resumia no seguinte: o tiro que matou Chico Mendes não foi dado por Darci, mas por seu irmão Jardeir, vulgo Mineirinho. Nilson vai se lembrando de cada detalhe do inquérito que dirigiu. Repete como se estivesse vendo o que havia no local do crime: uma colher, um saco de farofa, um garrafão de vinho com água potável, capas de chuva e pontas de cigarro Charm.

"As imprensas nacional e internacional disseram que de um modo geral meu inquérito foi tecnicamente perfeito. Mas se tivéssemos naquela época a tecnologia de DNA que o aparelho policial tem hoje, o resultado seria outro." O delegado está convencido de que na cena do crime havia outros personagens além de Darci. Pelo menos dois: Oloci, o único da família que fumava Charm — "ficava três, quatro dias sem fumar, mas só fumava Charm" — e Jardeir, "o atirador, o homem que finalizava".

Como os policiais que chegaram ao local logo depois do crime desfizeram ou desarrumaram provas e vestígios — só no garrafão os perito teriam encontrado quarenta impressões digitais —, a única maneira de descobrir quem estava lá era realizando exames de DNA em objetos como as pontas de cigarro encontradas no chão.

Quanto à autoria do disparo mortal, o delegado está convencido, embora não possa provar, de que não pode ser atribuída a Darci. "Nos treinos de tiros na fazenda, para saber quem mataria Chico, Darci foi sempre reprovado. Uma vez, foram atirar numa onça e ele errou todos os disparos." De acordo com a tese de Nilson, Darly temia que Darci acabasse virando uma testemunha contra a família, daí a necessidade de tê-lo como co-autor ou cúmplice no crime.

Sem tempo e disposição para aprofundar essa versão, sugeri ao delegado que juntasse os dados e guardasse. Quem sabe eles não seriam úteis em breve, já que o ministro Márcio Thomaz Bastos, cuja atuação como assistente de acusação foi fundamental para a condenação dos réus, determinara a reabertura do inquérito. Ninguém acredita que vá mudar alguma coisa agora, mas, pelo que pude apurar, há de fato um procedimento em curso.

Com a autoridade de quem dirigiu o inquérito anterior, Nilson não acredita que se possa descobrir qualquer novidade. Se fosse para revelar algum nome poderoso, muito bem. Mas se for para chegar à conclusão de que quem disparou o tiro foi Jardeir e não Darci ou vice-versa, acho que faz muito pouca diferença — para Chico, para o Brasil e para o mundo. Não muda o rumo do tiro nem da História.

Nova maneira de caminhar

Há quinze anos era impensável convidar para a mesma mesa dois fazendeiros e um admirador de Chico Mendes para discutirem o Acre. Pois agora ali estavam os proprietários rurais Francisco do Valle Filho e Luiz Augusto Ribeiro do Valle e o secretário de Agropecuária do estado, Mauro Ribeiro. Pelo que soube de um lado e de outro, essa tem sido a prática inaugurada pelo governador Jorge Viana. Ele gosta da palavra "pacto". "Em 98, quando eu ainda era pré-candidato", me dissera antes, "procurei os fazendeiros e lhes perguntei: o que vocês esperam do próximo governo? Ouvi, e a partir daí não deixamos de conversar."

Começo com uma pequena provocação: E o antagonismo de classe entre fazendeiros e seringueiros, acabou? O primeiro a responder é Luiz Augusto. Ele se mostra convicto de suas ideias, não deixa dúvidas quanto à sua discordância com o modelo de desenvolvimento adotado pelo governo, mas não esconde seu respeito pelo governador e admiração por sua ação pacificadora.

"Ele é pelo direito: direito do seringueiro, direito do proprietário, o direito acima de tudo, o que facilita as coisas. Graças a isso, aquele passado de conflitos está esquecido." Francisco acrescenta: "Havia naquela época um componente ideológico, uma ação que organizava os movimentos, nem todos espontâneos. Os conflitos acabavam sendo inevitáveis".

Francisco chegou a ser vizinho de seu xará famoso, se dava com ele, mas tem uma opinião muito particular: "O Chico era do confronto, era um homem fabricado, tanto que, candidato a deputado, não foi quase votado". Mauro, que conviveu com o líder seringueiro, não concorda. "Ele nunca me pareceu uma pessoa intolerante, embora defendesse com unhas e dentes o direito do pessoal que representava." Quanto ao papel que caberia a Chico hoje, os dois também divergem. O primeiro acha que não teria espaço para ele. "Ia fazer o quê, ficar brigando sozinho na rua?" Já Mauro acredita que ele estaria bem. "Porque hoje temos o poder público garantindo e legitimando o espaço do seringueiro, o espaço do madeireiro, o espaço do pecuarista, o que, em suma, ele propunha."

Luiz Augusto me parece mais voltado para o futuro. Não demonstra admiração por Chico, que, segundo ele, era intransigente e não trabalhava pelo acordo, mesmo quando era possível, e sim pela vitória de sua causa, ainda que às custas de conflito. Admite, porém, a importância do líder seringueiro na luta ambiental. "Não há mais jeito de tirar essa questão da agenda de discussão; temos que trabalhar com isso."

A irritação maior dos dois, tanto de Francisco quanto de Luiz, é em relação à militância ecológica internacional, "um movimento mais interessado em defender os interesses do Primeiro Mundo do que os do Acre ou do Brasil". A essa militância, "aos de má-fé", eles atribuem a "pecha" que atingiu a todos, ou seja, "a generalização de que os fazendeiros mataram

Chico Mendes, quando aquilo foi uma briga particular dele com o Darly".

Os dois confirmaram o que pessoas do governo me haviam adiantado: que não há mais conflito nem tensão fundiária. "Tanto que aqui", lembra Francisco, "não se tem invasão de terras, como em outros estados." Luiz Augusto ressalta: "Não que os interesses dos pecuaristas e os do governo sejam os mesmos". Eles não se conformam, por exemplo, com os 20% que lhes é permitido desmatar para fazer pasto. Gostariam de ter 50%, como já tiveram. "A diferença é que agora a gente se senta numa mesa de negociação para discutir as divergências, sabendo cada um que tem que ceder."

O modelo de desenvolvimento está no centro das divergências. Os dois produtores não acreditam no futuro da atividade extrativista, e citam o caso da borracha: "Já fomos os donos dela no mundo e hoje temos que receber subsídios para sustentá-la". Mesmo quando se recorre ao argumento de que num hectare de floresta pode haver mais produtos e valores monetários do que se tem em pecuária, eles respondem que esse é um cálculo de pesquisadores que na prática não se confirma. "Somos parceiros, vamos colaborar, fazer o manejo, mas a verdade é que a atividade florestal ainda não se mostrou viável economicamente."

Há também que considerar a tendência de cada um. "Eu sou pecuarista, minha vocação é a pecuária, fiz faculdade para isso, estou sempre aprendendo e procuro fazer bem-feito." E há os que se dedicam à atividade simplesmente porque ela é rentável. "Hoje no Brasil não é mais pecado ganhar dinheiro e a pecuária dá dinheiro. Ninguém desmata por prazer."

Eles discorrem longamente sobre as vantagens econômicas do setor, a rentabilidade, seu potencial e a convicção de que podem criar no Acre um dos melhores rebanhos do país, desde que possam ampliar suas pastagens, que haja menos restrições, mais flexibilização na legislação, considerada excessivamente impeditiva por eles.

O que há de novo parece ser a crença no diálogo e na conciliação de interesses, ou seja, no pacto. Apesar das divergências expostas, a solução não passaria mais pelo confronto e pelo antagonismo, mas pelo debate e pela concessão — pelo lema de que "cada um tem que ceder um pouco".

Só o tempo confirmará com quem está a razão, se de um lado ou do outro. Ou dos dois, já que não ouvi propostas excludentes do tipo "ou nós ou eles" — ou o extrativismo ou a pecuária. Sabe-se que os pactos são uma construção delicada. A dificuldade é que, por natureza, eles exigem que as partes estejam dispostas não a ganhar, mas a perder. No Acre, que tem vocação de laboratório, tudo é possível.

Quando procurou os fazendeiros para conversar, o então candidato Jorge Viana soube que a classe tinha pelo menos duas reivindicações que não entravam em choque com seu projeto de governo: combate à aftose, uma doença que impedia a exportação de carne; e zoneamento ecológico-econômico, isto é, uma definição do que podia ou não ser explorado.

O primeiro compromisso ele prometeu cumprir logo. "Até o fim do ano [ele fez a declaração em outubro], pegaremos a certificação de livres da aftose." Quanto ao segundo ponto, o caminho escolhido foi o da discussão e do acordo, ao contrário de outros estados em que foi imposto por lei e que, segundo Viana, não é cumprido. "Aqui a gente pactuou. Sentaram juntos o índio, o fazendeiro, o seringueiro para fazer o zoneamento. Por isso, funciona melhor do que se fosse uma lei."

O governador tem um sonho: transformar o Acre numa Finlândia ou numa Costa Rica ou nas duas, pela qualidade de vida que elas oferecem a seus moradores, graças à floresta e apesar das condições climáticas adversas. No país da Escandinávia, o frio excessivo dificulta o plantio de árvores, que levam às vezes oitenta anos para crescer. No país da América Central, chove demais.

Nada disso, no entanto, impede que as matas finlandesas constituam a maior cobertura florestal do mundo nem que a Costa Rica, que já havia perdido 50% de seu verde, esteja vivendo em função da floresta, com bons indicadores econômicos e sociais, se comparados com os vizinhos.

Numa visita à Finlândia, Jorge Viana ouviu um depoimento que reforçou suas convicções em relação ao que quer para seu estado. Um finlandês lhe disse: "A floresta para nós é como a igreja; dentro dela a gente encontra paz e a harmonia com a vida". Ele gostou do mecanismo sofisticado que faz com que lá praticamente todas as famílias sejam donas de um pedaço da floresta. "É o que buscamos com o que chamamos de florestania", constatou então.

Nem que seja por concessão, já que considera a floresta como bem público, o governador pretende fazer os acreanos se sentirem também donos da floresta, ganhando dinheiro com ela. "Estamos dedicando esse segundo mandato a fazer acontecer uma economia florestal sustentável, que incorpore a sabedoria dos antigos — dos índios, dos seringueiros — associada ao que a tecnologia e a ciência têm de mais avançado."

Em parceria com o setor privado e os movimentos sociais, ele espera elevar a qualidade de vida e os indicadores sociais e econômicos dos povos da floresta. Acredita que esse seja o momento do "reencontro". "O Acre, que existe por causa e a partir da floresta, resolveu um dia abandoná-la em troca de uma aventura destrutiva. Deu no que deu, num fracasso social e econômico." Ele se refere evidentemente ao modelo de substituição da floresta pelo pasto dos anos 1970.

Viana vai citando os produtos com os quais espera transformar a floresta numa economia altamente competitiva: "O açaí, o artesanato, a borracha, a castanha, a madeira, os óleos, as resinas, os medicamentos". Para isso, ele conta com o que chama de "era dos limites", em que o homem chegou à conclusão, "tardiamente, mas ainda em tempo, de que não pode tudo no planeta".

O Acre, segundo seu governador, tem condições de oferecer a um mundo em crise ambiental, cercado de poluição e em plena exaustão de seus recursos naturais, um modelo de gestão integrada, de preservação, de convivência entre a natureza e o homem, de harmonia entre desenvolvimento econômico e conservação ecológica.

Mas até que ponto esse modelo está sendo posto em prática efetivamente? Que obstáculos podem se opor à sua permanência? O entusiasmo de Viana, sua energia e otimismo não dão margem a dúvidas. Sua boa-fé se alimenta das boas intenções de fazendeiros como aqueles que eu havia entrevistado. Mas seriam os dois uma amostragem ou a exceção? Quando vi na estrada Rio Branco-Xapuri caminhões carregando toras de madeira supostamente certificadas, perguntei, desconfiado, como seria possível controlar aquele fluxo. Me veio à lembrança a afirmação de um dos entrevistados: "Ninguém desmata por prazer". Haja escrúpulo e espírito público para resistir à tentação do lucro imediato.

Orgulhoso de seus antepassados históricos, todos meio visionários, Jorge Viana não teme ser chamado de romântico ou utópico. "Agora é fácil sonhar, duro era sonhar naquela época." Ao transformar em políticas públicas o que antes era "tese ou pensamento rebelde", ele não deixa de reconhecer sua dívida para com Chico Mendes, de quem é um dos mais dedicados discípulos. À visão "absolutamente atual" do mestre ele atribui a inclusão do tema na agenda do mundo, "para nunca mais sair".

Esse legado foi-lhe fundamental: “Chico deixou um sonho, um rumo, um conceito”.

Ele termina com outra citação, agora do poeta amazonense Tiago de Melo: “O Acre não precisa buscar um caminho, mas uma nova maneira de caminhar”.

O que ficou do mito

Pregado na parede da Fundação há um texto de Chico Mendes imaginando-se no dia 6 de setembro de 2120, quando estaria sendo comemorado o centenário de uma suposta revolução socialista que teria unido "todos os povos e planeta num só ideal e num só pensamento". A mensagem — "atenção jovem do futuro" — termina confessando que o autor teve "muito prazer em ter sonhado" esses acontecimentos que não chegou a viver.

Chico Mendes gostava de escrever — talvez para ir à forra dos vinte anos em que foi analfabeto — e era chegado a previsões, como a de sua morte, por exemplo. Mas talvez tenha errado uma. Na sua última entrevista, ao jornalista Edílson Martins, ele estava certo de que ia morrer em vão. "Se descesse um enviado dos céus e me garantisse que minha morte iria fortalecer nossa luta, até que valeria a pena. Mas a experiência nos ensina o contrário. Então eu quero viver. Ato público e enterro numeroso não salvarão a Amazônia. Quero viver."

Com todas as pessoas que entrevistei ou com quem conversei, levantei a questão. Queria saber até que ponto permanecia viva a memória de Chico quinze anos depois de sua morte. Como nesse terreno só se pode trabalhar com impressões, a minha é que sua presença na vida e no imaginário dos acreanos não seria tão forte quanto é se ele ainda estivesse vivo. Faz bem à imagem dos heróis morrer cedo. Que o diga Che Guevara, que provavelmente acabaria como Fidel se não tivesse ido embora antes.

Quanto ao fortalecimento da luta, essa é uma discussão interminável, no meio da qual, de uma maneira ou de outra, todo mundo lamenta a perda do grande líder, inclusive os adversários. Os fazendeiros lastimam que com sua morte tenha-se criado um mártir; os seringueiros choram a perda do mártir.

Na noite em que jantei com Júlio Barbosa e Raimundão em Xapuri, ouvi deles uma afirmação que outras pessoas repetiram. Eles expunham os grandes avanços obtidos pela causa, quando o vereador lamentou: "Mas foi preciso o Chico morrer para isso acontecer".

Só aos poucos percebi o que se queria dizer: a morte anunciada, o choque provocado no mundo, o sentimento de culpa do próprio país, em especial do governo por não ter feito nada para impedir o crime, a tomada de consciência da sociedade para com a questão ambiental, tudo isso acabou apressando conquistas, obrigando a se fazer depois de sua morte o que Chico não conseguiu que fosse feito enquanto vivia.

No meio da floresta, Nilson, aquele instrutor que estava botando em prática os ensinamentos de seu líder, me disse: "A ausência de Chico transformou uma liderança forte em muitas lideranças. Acho que sou uma delas. Ele sonhava com o desenvolvimento sustentado e fazia a gente participar desse sonho".

Depois, na casa do desembargador Arquilau Melo, surgiu uma acalorada discussão sobre o papel exercido por Chico e o que ficou dele como herança e lição. Todos falavam ao mesmo tempo e isso prejudicou a gravação. Não sei quem disse o quê.

Me lembro que levantei uma questão polêmica. A hipótese era: se Chico sabia que ia morrer, se tinha certeza disso, como todo mundo afirma, sua morte não teria sido uma imolação? É claro que eu estava pensando em Getúlio Vargas. Como este, ele não teria morrido para que sua causa pudesse sobreviver?

As reações foram imediatas. Acho que foi Júlia quem disse: "Ao contrário, ele queria viver, era um apaixonado pela vida. Era impulsivo sim, tinha coragem de ir lá enfrentar o inimigo, mas isso não significa que buscasse a morte, mesmo que fosse em nome da causa".

Outra pessoa argumentou, talvez Elson: "Nos últimos dias Chico sofreu com a consciência de que ia ser morto. Quando a ameaça chegou bem perto e tornou-se evidente, ele fez uma opção. Seus assessores disseram: 'Agora você tem que ir para São Paulo'. Se ele fosse, poderia ter vivido, mas não viveria como grande líder, como mártir".

"O que você acha disso?", perguntei para Arquilau, que num canto devorava uma posta de tambaqui.

"Eu concordo com essa leitura. Ele sabia que precisava se afastar, tinha consciência de sua fragilidade, mas não podia fazer outra coisa senão enfrentar. Uns quinze dias antes de sua morte, eu estive em Xapuri, já como desembargador, e ele foi me visitar na casa do Adair. Me lembro dele dizendo: 'Olha, rapaz, não tem jeito pra mim não. Esses seguranças não servem pra nada. Os caras vão me matar mesmo'."

O desembargador perguntou por que ele não ia embora. Chico respondeu: "Você me conhece, sabe que minha vida foi sempre essa. Vou ficar e vou morrer".

Essa certeza da morte não vinha, porém, de qualquer premonição, e sim de informação. "O Chico sabia tudo o que acontecia do lado de lá", garante Arquilau. "Ele tinha informantes, sabia que os fazendeiros estavam se reunindo e tramando sua morte. Ele dizia: 'Eles se reuniram com o grupo tal e combinaram isso e aquilo'. Não sei como obtinha as informações, mas conseguia. Sabia que ia morrer. Só não sabia quem ia executar."

De acordo com o que Arquilau conhecia de seu amigo e cliente, uma coisa não estava no script: o amadurecimento e a modernização do pensamento de Chico. "O discurso dele foi evoluindo, enriquecendo-se e isso assustou os fazendeiros e chocou a própria Contag (Confederação Nacional dos Trabalhadores na Agricultura), com a qual foi o primeiro a romper. Ele assumiu o discurso do seu tempo. Não se tratava de obedecer à legislação do Estatuto da Terra. Nada de um lote para cada um. Ele percebeu rápido que vinte lotes ou cinquenta ou até cem era pouco para quem já era o dono da terra. Ela é antes de tudo nossa, vamos usá-la coletivamente, não precisa cortá-la, separar e meter cerca. Esse foi o seu grande salto. Chico passou a ser mais ambientalista do que sindicalista."

Kenneth Maxwell acredita que essa transformação dependeu muito da descoberta de Chico Mendes por um grupo internacional de ambientalistas — antropólogos, ativistas, representantes de ONGs — que passaram a usá-lo em causa própria, apropriaram-se dele.

"Foi durante esse período que eles introduziram Mendes às agências de fomento internacionais voltadas para a ecologia, em Washington, com a ajuda de Steve Schwartzman." O objetivo, segundo Maxwell, seria forçar entidades credoras como o BID e o BIRD, "ambos altamente dependentes dos Estados Unidos e sob o ataque dos ideólogos da administração Reagan, a tornar as preocupações ambientais centrais para suas decisões políticas".

Na sua análise, que inclui uma rigorosa resenha de alguns livros sobre o caso, Maxwell critica essa aliança, embora reconheça que graças a ela Chico tornou-se "tão conhecido mundialmente quanto Pelé e Carmen Miranda". O líder seringueiro, com seu carisma e "glamour especial para norte-americanos e europeus", como observa o brazilianista, tinha o físico para o papel. "Ele falava a língua franca dos antropólogos visitantes de Berkeley e de Paris, dos produtores da TV europeia e dos lobistas ambientalistas de Washington. O objetivo de Mendes era proteger a floresta, fosse negociando ou lutando."

O retrato pintado no livro não é de um ícone, não lembra aquele pôster que existe na Fundação. Para se opor ao que considera "mistificação do caso Mendes", Maxwell carregou nos traços negativos. Chico Mendes pode não ter sido um modelo de pacifismo, um Gandhi da floresta. Talvez fosse mais radical do que parecia, ele que era fã de dois guerrilheiros com cujos nomes batizou os filhos — Elenira, em homenagem a uma militante do PC do B no Araguaia, e Sandino, xará do revolucionário nicaraguense. Não foi por certo um pai de família exemplar, a julgar pelo que fez com sua primeira mulher e com a filha mais velha.

Mas mesmo que se aceite como fiel essa pintura, o que é muito discutível, ela não diminui a importância do conjunto da vida e obra de Chico Mendes. Vê-lo com seus possíveis defeitos faz menos mal do que reverenciá-lo como mito. Ele não precisa ser endeusado para se descobrir que foi um extraordinário líder.

Um dos discípulos de Chico hoje no poder, o vice-governador Binho, concorda que não se deva idealizá-lo, mas acha também que o seu legado não pode ser desvalorizado, pois significa um paradigma de liderança. "O que de melhor ficou desse homem sem ganância, que viveu materialmente pobre, não está nas coisas — quanto deixou de ser desmatado, quantas reservas, quantos hectares disso ou daquilo — mas nas bases éticas e morais, sólidas e definidas, que construiu para seus seguidores."

A permanência de Chico Mendes quinze anos depois de sua morte só reforça um mistério que não consegui decifrar: como foi possível nascer e crescer no meio da floresta, num pequeno canto verde que cremos mais propício aos bichos e às plantas, um exemplar tão fecundo da espécie humana?

O que aconteceu com eles

Em fins de outubro de 2003, quando se encerra este livro, era a seguinte a situação de alguns dos personagens da série de reportagens *O Acre de Chico Mendes*, de 1989:

GENÉSIO FERREIRA DA SILVA — Depois de viver sob a tutela do autor até a maioridade, correu várias cidades, morou em algumas e não chegou a se fixar numa profissão. Esteve sob a responsabilidade do Programa de Proteção às Testemunhas. Seu paradeiro, por razões de segurança, não pode ser revelado.

DARLY ALVES DA SILVA — Fugiu da prisão em 1993 e foi recapturado em 1996, tendo sido transferido então para o presídio da Papuda, em Brasília. Atualmente está em liberdade condicional, vivendo entre Rio Branco e o Pará, onde comprou terras durante o período em que esteve foragido.

DARCI — Cumpre pena em regime semiaberto em São Sebastião, cidade-satélite de Brasília, onde atua como pastor evangélico.

É acusado em outros processos que tramitam em Xapuri, podendo vir a ser novamente condenado.

OLOCI — Já cumpriu pena pela tentativa de homicídio contra seringueiros na sede do então IBDF (hoje Ibama) em Xapuri, em 1988. Vive na Fazenda Paraná, de sua família. Também é acusado de outros crimes e pode voltar a ser condenado.

ALVARINO — É réu em um processo, mas nunca sofreu qualquer condenação e vive livre em Xapuri.

JOÃO BRANCO — Abriu um escritório de advocacia em Brasília e nunca mais foi visto no Acre. A UDR, que era presidida por ele, se dissolveu ainda na época do julgamento de Darly e Darci.

D. MOACYR GRECHI — É agora arcebispo de Porto Velho, onde continua atuando junto aos movimentos populares e de defesa dos direitos humanos. O trabalho da Comissão de Justiça e Paz da Arquidiocese conseguiu, entre outras vitórias recentes, uma condenação do Brasil por organismos internacionais em função das chacinas ocorridas no presídio Urso Branco, na capital de Rondônia. Em 2002, sofreu grave acidente de carro e esteve em coma, mas recuperou-se completamente.

MARY ALLEGRETTI — Desde o governo Fernando Henrique Cardoso, é secretária executiva para a Amazônia do Ministério do Meio Ambiente. Continua ligada a Xapuri e ao movimento dos seringueiros, sobre os quais fez sua tese de doutorado: *A construção social de políticas ambientais: Chico Mendes e o movimento dos seringueiros*, que vai virar livro. Quem leu acha que é o trabalho mais completo sobre o tema.

OSMARINO AMÂNCIO — É assessor da prefeitura de Brasileia. Por muitos anos morou dentro de um seringal, chegando à presidência da Associação de Moradores da Reserva Extrativista Chico Mendes em Brasileia (Amoreb).

ILZAMAR MENDES E FILHOS — A viúva do líder seringueiro vive em Rio Branco, mas continua presidindo a Fundação Chico Mendes, sediada em Xapuri.

EUNICE FEITOSA — Continua vivendo com Antônio Cabral da Silva no mesmo lugar: Seringal Nova Esperança, Colocação Isaura.

ÂNGELA MARIA MENDES — Só em 2003, aos 32 anos, foi reconhecida como filha de Chico Mendes. Trabalha no setor financeiro do Centro dos Trabalhadores da Amazônia, em Rio Branco.

ADAIR LONGUINI — É juiz titular da 1ª Vara Cível de Rio Branco.

JÚLIO BARBOSA — Está no segundo mandato como prefeito de Xapuri (PT).

RAIMUNDO BARROS — É vereador (PT) em Xapuri desde 1988. Na primeira gestão de Júlio Barbosa, foi secretário de Obras.

GÍLSON PESCADOR — É o procurador-chefe do município de Rio Branco.

NILSON ALVES DE OLIVEIRA — Deixou de ser delegado por não ter nível superior. Atualmente, trabalha na administração do complexo penitenciário Francisco de Oliveira Conde, em Rio Branco.

MAURO SPÓSITO — Tendo sido chefe de gabinete de Romeu Tuma na direção-geral da Polícia Federal, tornou-se depois superintendente da PF no Amazonas e, em 2003, coordenador das Unidades de Projetos Especiais da Polícia Federal no estado, cuja função principal é combater o tráfico de drogas e armas nas fronteiras.

ROMEU TUMA — Cumpre o segundo mandato como senador (PFL/SP). Foi diretor-geral da PF até 1992 e candidatou-se sem sucesso à Prefeitura de São Paulo.

FLAVIANO MELO — Em seu governo (1987-1990) foram desviados US$ 10 milhões através de uma conta fantasma, crime contra a administração pública que já levou à prisão dezoito pessoas. O ex-governador é acusado de participação, mas não sofreu condenação. Senador (1991-1998) e prefeito de Rio Branco (2001-2002), perdeu a última eleição para governador. Hoje está sem mandato. Em setembro de 2003 sofreu um infarto.

MÁRCIO THOMAZ BASTOS — É o atual ministro da Justiça. Um dos mais importantes advogados do país, já teve entre seus clientes Luiz Inácio Lula da Silva, Antônio Carlos Magalhães e José Rainha.

MARINA SILVA E JORGE VIANA — Das jovens lideranças do PT do Acre citadas nas reportagens, a atual ministra do Meio Ambiente e o governador reeleito do estado são os que mais se destacaram nos últimos anos.

EDMUNDO PINTO — Presente no julgamento de Darly e Darci na condição de governador eleito (PDS), Edmundo foi assassinado em 17 de maio de 1992 num hotel de São Paulo. O caso foi encerrado como latrocínio, veredicto até hoje sob suspeita: o governador, que vinha recebendo ameaças de morte, deporia dois dias depois na CPI do Congresso que investigava malversação de verbas na construção do Canal da Maternidade. Os ladrões teriam morrido em prisões de São Paulo.

O FILME — Ilzamar vendeu em 1989 os direitos de filmagem para a JN Filmes, de Joffre Rodrigues e Nelson Rodrigues Filho. A decisão irritou Steve Schwartzman e Adrian Cowell, que defendiam uma produção internacional. Schwartzman tentou, inclusive, impedir na Justiça o acordo. Ainda em 1989, a JN acertou uma parceria com o produtor Peter Guber (*Rain man*, *Batman*), mas este, no ano seguinte, vendeu sua empresa à Sony Pictures e se desligou do projeto. A Warner Brothers assumiu o filme, mas passou três anos envolvida em negociações e pendências judiciais, em especial com Ilzamar. O filme acabou sendo feito por um braço da Warner, a HBO, e com fraquíssima repercussão. Um grande prejuízo. *The burning season* (*Amazônia em chamas*) teve Raul Julia como Chico Mendes e contou no elenco com Sônia Braga (não como Ilzamar, mas como a fictícia Regina de Carvalho) e Edward James Olmos (de *Blade runner*). A direção foi de John Frankenheimer (*Sob o domínio do mal*) e o roteiro, de William Mastrosimone, baseado no livro homônimo de Andrew Revkin (*The burning season*).

RESERVAS EXTRATIVISTAS — Desde a morte de Chico Mendes, a ideia das reservas extrativistas foi encampada pelos governos e se espalhou pelo país. Hoje, há dezenove só na Amazônia, sendo quatro delas no Acre: Reserva Chico Mendes, Reserva do

Alto Juruá, Reserva do Alto Tarauacá e Reserva Cazumba-Iracema. A Chico Mendes, a maior delas, passa por cinco municípios (incluindo Rio Branco, Xapuri e Brasileia), garantindo a sustentação de 1838 famílias.

PROJETO SERINGUEIRO — O programa que leva educação aos seringueiros virou uma marca tão forte que, hoje, batiza todo o plano de educação do Centro dos Trabalhadores da Amazônia. O projeto chegou a ter trinta escolas na floresta, mas hoje tem dezenove, sendo dez em Xapuri. O motivo da redução foi a encampação de parte delas pelo governo estadual na gestão de Jorge Viana (PT). Segundo o CTA, aliás, a ida de muitas pessoas das organizações não governamentais para o governo acabou dificultando nos últimos anos o desenvolvimento de muitos projetos, já que a renovação de pessoal não é tão rápida. Das três educadoras do Seringueiro citadas nas reportagens, a que ainda está ligada ao projeto é Maria Lúcia Martins, que vive em São Paulo, mas presta consultoria sobre o ensino de matemática. Regina Hara, que mora em São Paulo, e Nieta Lindemberg, no Rio de Janeiro, não têm mais ligação direta, mas continuam sendo referências importantes para o trabalho dos monitores.

COMITÊ CHICO MENDES — Criado na noite do assassinato, reúne 35 entidades e tem como um de seus principais objetivos pressionar as autoridades de Segurança Pública e a Justiça do Estado para que o caso Chico Mendes continue aberto. O CCM acredita que outras pessoas além de Darly tramaram a morte do líder seringueiro. Também quer a captura de Jardeir Pereira, o "Serginho" ou "Mineirinho", acusado de coautoria no assassinato e foragido até hoje. Além disso, o comitê dá apoio jurídico a trabalhadores rurais. Em 2003, criou na internet a página www.chicomendes.org.

Posfácio

Mais atual do que nunca

Marcos Sá Corrêa

Zuenir Ventura é o único septuagenário da minha geração. Da minha e de todas as gerações que, chegando depois, já o encontraram entronizado no jornalismo brasileiro como o veterano de jeans, tênis Bamba e meias berrantes que, com o rolar dos anos, ia acumulando num só currículo as idades que a maioria das pessoas vai deixando para trás. Quando pegou à unha as reportagens deste livro, para lá de cinquentão, numa fase da vida e da carreira em que os melhores jornalistas se especializam em pastorear o trabalho alheio, ele chefiava uma editoria no *Jornal do Brasil* e acabava de inundar o país com um grande livro — *1968, o ano que não terminou.*

Em outras palavras, Zuenir Ventura estava pronto. Tinha, naquela altura, 33 anos de jornalismo. Nas bancas, era ex-quase tudo: editor internacional do *Correio da Manhã*, diretor da revista *Fatos&Fotos*, chefe de reportagem de *O Cruzeiro* e das sucursais cariocas de três revistas semanais de informação, *Visão*, *Veja* e *IstoÉ*. E nas livrarias era autor de um best-seller que venderia 200 mil exemplares em 39 edições, chegando até o acampamento de garimpeiros junto à nascente do rio Trombetas, onde uma vez passei quinze dias na fronteira da Amazônia com o fim do mundo. Lá só havia um livro. Era *1968, o ano que não terminou.*

Se ficasse por ali, a biografia de Zuenir Ventura estaria de bom tamanho. Mas estar pronto, no seu caso, quer dizer pronto para começar tudo de novo, entregando-se aos mosquitos do Acre com bloco de notas, gravador, máquina fotográfica, passagens de avião para destino aonde ninguém vai a passeio e uma vaga ideia do que encontraria pela frente. São esses os acessórios típicos dos eternos principiantes, que fazem da reportagem a única aventura genuína do jornalismo, vivida nos limites do que já se sabe com o que ainda se quer saber. O resto é uma forma disfarçada de aposentadoria.

Por que logo ele? A pergunta, meio desconfiada, foi seu único gesto de resistência, ao ouvir a encomenda. A resposta era fácil. Por ser o melhor repórter disponível para a empreitada. Estávamos cobrindo, com muito adjetivo e pouca informação confiável, as ondas de choque de uma bomba que explodira na redação com a notícia da morte de Chico Mendes. Por acaso, passáramos a prestar atenção no líder seringueiro dias antes de seu assassinato. Uma equipe capitaneada por Cláudio Bojunga o havia entrevistado para o caderno Especial, um suplemento de domingo reservado aos assuntos que não cabiam nas frinchas do noticiário normal. Na entrevista, que não saiu a tempo, Chico Mendes dizia estar com os dias contados. Para uma redação plantada no Rio de Janeiro, escolada em outros sotaques da violência, a ameaça soava longínqua e atemporal como uma lenda amazônica.

Até que aconteceu. No dia seguinte à emboscada, quase na véspera do Natal de 1988, o *Jornal do Brasil* saiu com uma primeira página turbinada pelo texto indignado de Roberto Pompeu de Toledo, que coordenava a edição sobre Chico Mendes quando a história foi ultrapassada pela História. Mas, reconhecer à primeira vista um caso extraordinário não é uma garantia de compreendê-lo. O Acre fica longe. E antes de Chico Mendes parecia ainda mais remoto. Descontados os convites para assistir à festa de Parintins, até hoje se contam nos dedos os jornalistas que puseram os pés nos 3,5 milhões de quilômetros quadrados da Amazônia. O fato é que semanas depois estávamos chapinhando num lamaçal de versões contraditórias e fontes suspeitas, cheios de opinião e vazios de informação, quando Flávio Pinheiro, outro editor adjunto, teve a ideia curativa: "Será que o Zuenir topa ir até lá para contar o que está acontecendo?".

Topou com meia dúzia de piadas, como é de seu estilo. E seu trabalho saiu muito mais sério do que a encomenda, como também é de seu estilo. Foi ao Acre por quatro ou cinco dias. Ficou um mês. Ao voltar, não trazia só a reportagem que no fim do ano levaria o prêmio Esso. Trouxe mais. Trouxe um modelo de cobertura jornalística que, sem ter uma linha de isenção, conseguia mostrar todos lados de uma história que, no fundo, tinha um lado só. E acabou trazendo até a testemunha que poria os assassinos de Chico Mendes na cadeia. Ou seja, o adolescente Genésio Ferreira da Silva, retratado em onze linhas exemplares. Vale a pena lê-las de novo:

> Quando voltava à cidade — e em um mês isso se repetiu oito vezes — a primeira coisa que fazia era ir, com o coração na mão, ver o garoto Genésio. Havia sempre o pressentimento de que algo poderia ter ocorrido àquele menino completamente desprotegido. Mas ele estava sempre lá, como o deixara, sentado, misterioso, insondável, olhando não se sabe para que horizonte. Só Genésio, a testemunha-chave, resiste.
>
> — Oi, Genésio.
>
> — Oi.
>
> — Tudo bem?

— ...

Genésio só respondia quando era importante responder.

Quem vê pensa que escrever assim é fácil. Mas quem o conhece sabe o que essa simplicidade tem por trás. Ao chegar de Xapuri, Zuenir passou dias inteiros batucando no computador essas reportagens. Escrevia numa sala envidraçada da redação, submerso em fitas e manuscritos, cercado de curiosos por todos os lados e vigiado pelos editores que esperavam o ponto final de cada texto para fechar o jornal. Um a um, cada capítulo da série saía da tela diretamente para a edição do dia seguinte. No entanto, mais de catorze anos depois, ao reencontrá-las em livro, parecendo que foram feitas para isso, o espantoso é descobrir que estava tudo lá: o calor das salas de audiência, a buraqueira das estradas, o uísque Logan das biroscas, a poligamia, os mosquitos, o clima viscoso que gruda as vítimas em seus assassinos e o leilão internacional para levar o drama de Chico Mendes ao cinema.

"Alguém deveria estar filmando o filme do filme", sugere o repórter. Conta por exemplo que, uma noite,

> numa mesa do Caxinawá, um badalado bar do Baixo Leblon de Rio Branco, o americano Steve Schwartzman, do Environmental Defense Fund, uma entidade ambiental, contava como ele próprio estava sendo assediado pelos produtores patrícios com tentações como esta:
>
> — Estamos pensando para o seu papel em convidar o Dustin Hoffman, o que você acha?
>
> A antropóloga Mary Helena Allegretti, amiga e colaboradora de Chico Mendes, também recebeu semelhante insinuação:
>
> — O seu papel tem que ser feito por Sigourney Weaver (a antropóloga de *Nas montanhas dos gorilas*).

Um ano depois, o historiador americano Kenneth Maxwell daria, na *New York Review of Books*, as pistas definitivas desse alinhamento de interesses que transformou em vida o líder seringueiro em militante ambientalista e, depois de sua morte, promoveu sua viúva a criadora de gado na Amazônia, exatamente o que ele morreu para evitar que acontecesse na região. O artigo de Maxwell, reabrindo dúvidas que pareciam definitivamente liquidadas, mostra como Zuenir sabia o que estava fazendo no Acre. Lembra que ele, "um dos melhores jornalistas do Brasil, visitou a única testemunha a ouvir a família Alves da Silva falar de planos para matar Mendes, um garoto chamado Genésio, então com treze anos de idade, que estava praticamente desprotegido quando Ventura o encontrou, embora supostamente sob a guarda da polícia".

De fato, a série que veio parar neste livro não perdeu de vista em nenhum momento o fio do processo judicial que ajudou a empurrar até a condenação de Darli e Darci Alves da Silva. Mas é pela sua amazônica profusão de detalhes que as reportagens sobreviveram à notícia. Pouco mais de uma década depois, os aliados de Chico Mendes estão no governo. Genésio, depois de viver sob a tutela de Zuenir, sacou a poupança feita em seu nome assim que atingiu a maioridade, correu o Brasil inteiro e hoje está em lugar não revelado. A política ambiental que nasceu nos seringais, ao se tornar oficial, perdeu rapidamente grande parte de seu encanto. Só as reportagens e Zuenir Ventura dão a impressão de não terem envelhecido. Aliás, ao saber que elas seriam publicadas em livro, ele voltou ao Acre para atualizar a história. Desta vez, sem ninguém pedir, sinal de que anda mais repórter — quer dizer, mais jovem — do que nunca.

1ª EDIÇÃO [2003]

ESTA OBRA FOI COMPOSTA PELO ACQUA ESTÚDIO EM MINION E IMPRESSA PELA UMLIVRO EM PROCESSO DE IMPRESSÃO SOB DEMANDA SOBRE PAPEL PÓLEN SOFT DA SUZANO PAPEL E CELULOSE PARA A EDITORA SCHWARCZ A PARTIR DE MARÇO DE 2019

FSC
www.fsc.org
MISTO
Papel produzido a partir de fontes responsáveis
FSC® C128038

A marca FSC® é a garantia de que a madeira utilizada na fabricação do papel deste livro provém de florestas que foram gerenciadas de maneira ambientalmente correta, socialmente justa e economicamente viável, além de outras fontes de origem controlada.